쌓여가는 우리의 추억들

쌓여가는 우리의 추억들

지은이 강민서, 권솔이, 박성은, 방민지, 신지우,
안지윤, 안혜지, 양서진, 이서희, 이예은
그린이 김서연 방상미
엮은이 방상미
발　행 2023년 11월 27일
펴낸이 한건희
펴낸곳 주식회사 부크크
출판사등록 2014.07.15.(제2014-16호)
주　소 서울특별시 금천구 가산디지털1로 119 SK트윈타워 A동 305호
전　화 1670-8316
이메일 info@bookk.co.kr

ISBN 979-11-410-5515-8

www.bookk.co.kr

쌓여가는 우리의 추억들

강민서, 권솔이, 박성은, 방민지, 신지우, 안지윤, 안혜지, 양서진, 이서희, 이예은 글
김서연, 방상미 그림
방상미 엮음

이 도서는 충북교육도서관의
청소년 책 출판 지원 프로그램 지원금을 받아 제작되었습니다.

BOOKK

차례

사랑하는 우리 초보 작가님들께

선생님을 향한 사랑과 간식의 꼬임으로 동아리에 들어왔다가,
매주 화요일마다 옹기종기 모여 창작의 고통을 나누게 된
우리 작가님들!
약 8개월이라는 시간 동안 세 편의 글을 쓰며 갈수록 성장하는
모습을 보여줘서 참 기특하고 대견해요.
매번 다양한 아이디어와 생각지도 못한 이야기를 들려줘서 함께
하는 동아리 시간이 선생님은 정말 즐거웠어요.
우리 친구들은 그 시간 동안 머리를 쥐어짜고! 손이 아프도록 글을
쓰고! 선생님의 마감 독촉에 시달리느라 고통스러웠겠지만!
힘들기만 한 시간이 아니라 즐겁고 뿌듯함이 남는 시간이었길 바랍
니다.
우리 친구들은 각자 자기 인생의 주인공이기도 하지만, 다른 친구
들의 삶에서, 그리고 선생님의 이야기에서도 소중하고 특별한 인연
이라는 사실 절대 잊지 말고!
우리 친구들의 하루하루가 친구들이 쓴 이야기들처럼 특별하고 재
미난 일들로 가득하길 기원할게요. (그렇다고 좀비한테 물리거나 곤
충으로 변하거나 하지는 말고....)

2023년 11월 어느 날

사서 선생님이

이용 가이드

이 책은 동성초등학교 독서동아리 아이들이 쓴 소설집입니다.

모든 글의 작가 이름은 친구들이 직접 정한 필명이에요.
어떤 친구가 어떤 이름으로 썼을지 추리하며 읽으면
더 재밌겠죠?

다만, 내가 아는 친구가 쓴 이야기라고
쓴 친구 앞에서 내용을 읽어준다던가,
이건 이렇게 썼어야지! 하고 참견하는 행동은
참아주세요!

읽고 있는 친구들도
내가 쓴 소설이나 일기를
다른 친구들이 내 눈앞에서 읽는다고 생각하면
쑥스럽잖아요~

자, 그럼
열 명의 친구들이 각자 머릿속의 상상을 즐겁게 펼쳐놓았으니
기분 좋게 함께 즐겨주세요!

추억 하나. 첫사랑

꽥꽥이

박설아 16살. 설아는 오늘도 들뜬 마음으로 학교에 갔다. 설아는 원래 학교를 좋아하지 않는다. 근데 왜 들떴냐고? 바로 좋아하는 사람이 생겼기 때문이다. 설아는 같은 반 짝꿍을 좋아하게 됐다. 짝꿍는 바로 신이준이었다. 신이준은 학교에 잘 생겼다고 소문난 찐따였다.

그런데 신이준은 성격이 매우 안 좋았다. 근데 신이준이 설아한테만 착했다. 설아에게만 우유를 가져다주거나 추울 땐 후드 집업이나 담요를 챙겨주었다. 그래서 설아는 점점 신이준이 좋아졌다.

그런데 설아는 한 가지 고민이 있었다. 바로 학기 말이라 졸업을 하면 다신 이준이를 못 볼 수도 있기 때문이다. 그렇게 한참을 고민하다가 졸업이 다가왔다. 설아는 드디어 결정을 내렸다. 그 결정은 바로 오늘 고백하기였다.

설아는 졸업식 내내 이준이 생각밖에 나지 않았다. 드디어 졸업식이 끝났을 때 설아는 이준이를 붙잡으며 떨리는 목소리로 고백했다.

“나 너 좋아해”

신이준은 순간 당황하고는 말했다.

“음... 생각할 시간을 줘.”

그러자 설아는 조금 떨리긴 했지만

“알았어.”

라고 쓸쓸한 대답을 남기고 학교를 나갔다. 다음날, 이준이로부터 문자 한 통을 받았다. 이준이의 문자에는

> [Web 발신]
>
> 2023.08.31.
>
> 04시 56분
>
> 신이준님께서 병원 이송 도중 사망하셨습니다.
>
> 이 문자는 연락처의 저장된 모두에게 보내지며
>
> ...

라고 적혀있었다. 설아는 선뜻 먼저 연락하고 싶었지만 그럴 용기가 차마 나지 않아서 계속 이준이의 연락을 기다렸다. 몇 시간 뒤 갑자기 이준이로부터 전화가 걸려 왔다. 설아는 떨리는 심장을 부여잡고 전화를 받았다. 설아가

“여보세요?”

라고 하며 전화를 받는 순간! 처음 들어보는 여자 목소리가 들렸다. 설아는 화들짝 놀라서

“네?”

라며 서툰 대답을 했다. 그러자 여자는 침착한 목소리로 말했다.

“안녕하세요. 저는 이준이 엄만데요~ 저희 이준이와 무슨 사이었는지 알 수 있을까요~?”

그 말을 들은 설아는 머뭇거리다 입을 열었다. 설아는

“제가 이준이를 좋아했어요.”

라고 떨리며 울먹거리는 목소리로 말했다.

“아~ 알겠습니다.”

라고 이준이 어머니는 이준이가 자살했다는 이야기를 해주었다.

“사실 이준이 휴대폰을 둘러보다가 메모장을 봤는데요~ 설아 학생 이야기가 참 많더라고요.. 저희 이준이도 설아 학생을 많이 좋아한 거 같아요..”

설아는 멘탈이 부서지듯 마음이 아팠다. 설아는 혹여나 자신이 알아주지 못한 부분이 있는지, 자살한 다른 이유가 있는지를 생각을 하며 밤을 설치며 지냈다. 그러던 어느 날 설아에게 이준이 어머님으로부터 전화가 걸려 왔다. 이준이 어머님은 다급한 목소리로

“설아야 너무 미안하다. 네가 혹시 이준이가 왜 자살했는지. 짐작 가는지 알아 와 줄 수 있을까...? 네가 우리 이준이의 가장 친한 친구였기도 하고.. ”

라며 얘기했다. 설아는 그 제안을 흔쾌히 받아들였고 이준이의 자살 이유를 알기 위해 모험을 다니기 시작했다. 우선 설아는 이준이의 핸드폰을 열어보았다. 설아는 이준이의 문자 내용과 기록을 살펴보다가 수상한 번호와 문자 기록을 발견했다. 설아는 그 문자 내용을 본 순간 손이 떨리며 공포에 질린 얼굴이었다. 그 문자 내용에는 돌아가신 이준이 아버지가 그 사람한테 진 빚 이야기였다.

설아는 너무 놀라서 문자 내용에 적혀있는 공장 주소로 달려갔다.

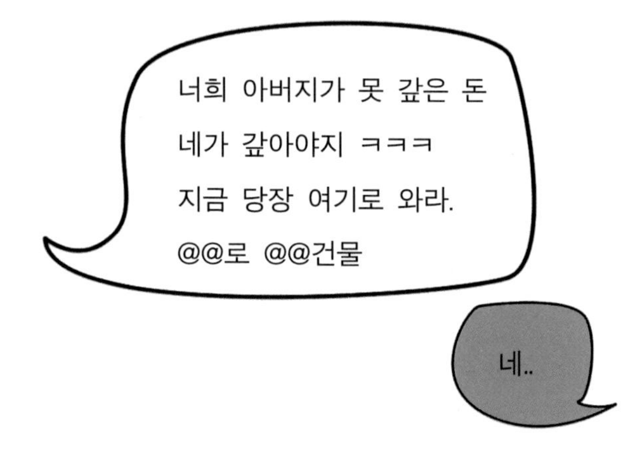

거기 있는 건물은 엄청 으스스한 폐건물이었다. 설아는 떨리는 심장을 부여잡고 폐건물 안으로 들어가기 시작했다. 서서히 문을 열 때쯤 누군가 설아의 어깨를 툭툭 두드렸다. 설아가 뒤를 돌아본 순간 키가 180 정도 되어 보이는 덩치 큰 남자가 서 있었다. 그 남자는 설아에게 뭉툭한 목소리로 "넌 누구냐"라고 말했다. 그러자 설아는 무서웠지만 꾹 참고 "전 박설아라고 합니다."라고 말했다.

그 남자는 비웃더니 말했다.

"여긴 왜 왔냐."

"죽은 제 친구의 한을 풀고자 왔습니다."

그래서 남자는 갸우뚱하며 "누군데."라고 물었다.

설아는 당당하게 "신이준입니다."

남자는 당황하며 화난 목소리로 "따라와."라고 말했다. 설아는 겁에 질려 꼼짝없이 따라갈 수밖에 없었다. 그 남자를 따라가 도착한 곳은 폐건물 3층이었다. 3층은 폐건물이라고 믿을 수 없을 정도로 깔끔하고 세련됐다. 그곳은 어느 가정집에선 볼 수 없는 고가의 인테리어들이 장식되어 있었다. 남자는 설아에게 차를 건넸다. 설아는 당황하며 차를 마실 수밖에 없었다. 그러자 남자는 설아에게 물었다.

"이준이가 죽었나요?"

설아는 당황해서 "네.."라고 대답했다. 그 남자는 설아의 대답을 듣자 표정이 굳기 시작했다. 그 남자는 찡그린 표정으로 설아에게 말했다.

"근데... 제가 누군지 알고 다 말해주시는 거죠?ㅋㅋㅋ" 하며 남자는 썩소를 지으며 소파 옆 버튼을 눌렀다. 버튼을 누르자 기계 소리와 함께 빠르게 아래로 떨어졌다.

"꺄아아아!!!!"

설아는 비명을 질렀다.

다행히도 3층 자체가 아래로 떨어진 거라 다친 곳은 없었다. 3층에서 지하 1층으로 떨어지자마자 남자는 주머니에 있던 선글라스를 꺼내 썼고 그 뒤에는 끝없이 많은 부하들이 서 있었다. 부하들은 남자에게 정장 재킷을 입혀주며 형님이라고 그 남자를 불렀다. 그 남자는 설아에게 썩소를 지으며 말했다.

"자~ 내 소개를 할게잉~ 내는 곽두팔이고 이준이 걔도 너처럼 끌려왔었제잉ㅋㅋ"

설아는 그 말을 듣고는 심장이 철렁했다. 설아는 충격이 너무 강해서 몸이 얼어버렸다. 그 모습을 본 곽두팔은 부하들에게 손짓으로 신호를 줬다. 신호를 받은 부하들은 설아를 붙잡고 팔을 묶기 시작했다. 설아는 당황하며 발버둥 치며 소리쳤다.

"도와주세요!! 읍.! 으읍!!"

설아는 발버둥 쳤지만 소용은 없었다. 설아가 발버둥 칠수록 부하들은 더 강하게 대응하며 설아의 입과 발을 막고 묶었다. 그렇게 2시간 정도 지났을 무렵 설아 주머니에서 벨 소리가 울렸다. 설아는 이때를 놓치지 않고 시리를 불러댔다. 막힌 입이어서 테이프를 떼어내기 위해 얼굴 근육과 남은 힘을 동원해 테이프를 반이나 떼어냈다.

그렇게 설아는 큰소리로 끊임없이 불러대기 시작했다. 그러자 너무 반가운 시리의 목소리가 들려오기 시작했다.

"네?"

시리의 대답에 설아는 먼저 시리에게 "112로 전화 걸어줘."라고 말했다. 시리는 한참을 로딩 도중! 드디어 기다리고 기다리던 통화 연결음이 들려왔다. 긴장되는 마음과 동시에 경찰의 목소리가 들려오기 시작했다.

“여보세요?”

너무나도 반가운 경찰의 목소리가 들려오기 시작했다. 설아는 경찰에게 다급한 목소리로 “지금 제가 갇혀있거든요?”라고 말했다. 경찰은 오히려 침착하게 “주소 알고 계신가요?”라고 물었다. 설아도 경찰 목소리에 안심하고 말했다.

“위치는 @@로 @@건물이요. 여기 대장이라는 사람에 부하들이 수도 없이 많아요. 이 부하들이 저를 죽이려고 해요!!”

경찰은 그 말을 듣고 무언가 머릿속에서 번쩍 떠올랐다. 바로 지명수배자 중 한 명이 경찰의 머릿속에 떠오른 것이다. 경찰은 설아에게 곧장 물었다.

“혹시 그 대장이라는 사람의 이름을 아시나요?”

설아도 경찰에게 말했다.

“네. 곽두팔이요.”

경찰은 자신이 생각한 사람과 동일 인물이란 걸 확인하자마자 당장 출동했다. 설아는 경찰이 올 때까지 어떻게든 살려고 발버둥쳤다. 그런데 서서히 입을 막고 있던 테이프가 완전히 떼어지더니 바닥으로 떨어졌다. 설아는 이때를 놓치지 않고 입으로 할 수 있는 건 모두 시도해 봤다. 근데 마침 아까 부하가 옷에 꽂고 있던 배지가 설아 눈에 들어왔다. 설아는 최대한 다치지 않도록 그 배지를 입에 물고 뾰족한 부분으로 설아의 손과 팔을 묶고 있던 줄을 잘라내기 시작했다. 한참을 자르다 보니 어느 순간 똑하고 잘렸다. 잘린 줄은 황급히 구석에 숨기고 설아는 달아나기 시작했다. 설아는 폐건물에 있는 비상구를 통해 밖으로 달려갔다. 나가자마자 설아는 경찰에게 다시 전화를 걸었다. 경찰은 설아의 전화를 받고 말했다.

"지금 출동합니다!! 안전한 장소에 몸을 숨겨주세요!!"라고 소리쳤다. 설아는 황급히 대답 후 폐건물 바로 옆 편의점으로 뛰어 들어갔다. 편의점으로 들어가자 "딸랑~" 소리가 들리더니 주인장이 카운터에서 설아를 쳐다보고 있었다.

설아는 "안녕하세요.."라고 주인장에게 인사를 건넸다. 주인장도 설아에게 인사를 건넸다.

"안녕하슈"

설아는 주위를 계속 살피다가 주인장에게 다가갔다. 설아는 주인장에게 조용히 속닥였다.

"제가 지금 여기에 납치가 됐거든요? 살려주세요. 제발 저를 도와주세요."라고 속닥였다. 주인장은 점점 표정이 굳어가더니 설아에게 말했다.

"혹시 이 옆 폐건물에 그 깡패들이죠..?"

설아는 그 말에 대답했다.

"네..."

주인장은 얼른 들어오라며 편의점 안 휴게실로 안내했다. 그런데 휴게실에는 아까 폐건물에 있던 부하들이 설아를 기다리고 있었다. 부하는 주인장에게 감사하다는 말을 남기고 설아를 또다시 폐건물로 끌고 갔다. 설아는 너무 분해서 부하들에게서 벗어나려고 끊임없이 시도했지만 계속 실패했다. 설아의 몸은 부하들의 강압과 폭력으로 만신창이가 되었다.

설아의 의식이 점점 사라져 갈 때쯤 또다시 설아의 전화벨이 울렸다. 설아는 손, 발, 입이 다 막히고 묶여 있어서 아무것도 하지 못하고 꼼짝없이 부하들에게 폰을 뺏기고 말았다. 그런데 그 순간 폐건물 입구에서 경찰 소리와 함께 사이렌 소리가 들려오기 시작했다. 설아는 경찰 소리에 안심하고는 마음을 내려놨다. 곧이어 설아는 경찰에게 구조됐고 곽두팔과 부하들도 체포됐다.

다음날 경찰서를 방문했다. 그런데 경찰서에는 신이준 어머니를 만났다. 이준이 어머니는 설아에게 고마운 마음을 전하기 위해 한창 준비하신 모습이셨다. 설아는 이준이 어머니를 보며 마음이 뭉클해졌다. 이준이 어머니는 설아에게 말했다.

“너무 고맙다. 네 덕분에 이준이가 가서도 잘 살겠구나..”

이준이 어머니는 말을 하시며 눈물을 참지 못하시고 울음이 터지셨다. 설아도 너무 슬픈 마음에 울고 말았다. 그렇게 몇 시간 동안 지금까지 있었던 일을 서로 말했다. 그렇게 설아는 또다시 슬픔을 참아내고 일상으로 돌아왔다.

추억 둘. 유치원 선생님

잠만보

"야옹~"

"어?"

"고양이 소리다!"

피부가 하얗고 머리가 흑발이고 짧은 남자가 가방에서 츄르를 꺼내 회색에 검은색 줄무늬 고양이가 있는 쪽으로 내밀었다. 이내 고양이가 그 츄르를 먹었다.

"? 야 이은호. 네가 고양이를 좋아했었나? 가방에서 츄르가 나와?"

"엉. 나 고양이를 좋아하는 걸 넘어서 사랑하지ㅋㅋ"

"? 너 그런 취향"

"아니다... 그만큼 좋아한다고ㅋㅋ 꿈이 고양이 카페 사장임ㅋㅋ"

이은호는 고양이를 쓰다듬었다. 그러니 고양이가 놀라면서 츄르를 받아먹었다.

"야 고양이 쓰다듬어도 되는 거지?"

"응? 괜찮지 않을까?!"

그 말을 하고 몸에 두드러기가 났다.

"뭐임?"

3초의 정적이 흐르고 같이 있던 친구, 강승현이 은호를 끌고 병원으로 데려갔다. 건장한 체격의 남자가 검진을 해주었다.

"음... 혹시 오기 전에 뭐 하셨죠."

"저희 하교하다 고양이 보고 츄르 주고 만졌"

"길고양이를 만지셨다고요? 그럼 기생충에 감염될 수도 있다고요! 어쨌든 고양이 알레르기가 있는 것 같습니다."

"네? 제 꿈은요? 제 미래는요? 그럼 고양이 카페 사장 못 해요?"

"아무래도 어렵겠죠."

"헐 진짜요...?"

"네 진짜요. 약 처방해 줄 테니 가세요."

"옙..."

병원을 나가고 은호는 곧 울 것 같은 표정을 지었다.

"야 괜찮"

"승현아 형 울 것 같다..."

"네가 내 형도 아니고 고양이 말고 다른 거 좋아하는 걸로 진로 가던가."

"고양이 말고? 걍 귀여운 거 좋아하는 건데. 음 귀여운 거..."

그러더니 뭔가 생각이 난 듯이 눈을 반짝였다.

"애기!"

"애기?"

"생각해 봐. 애기는 귀엽잖아!?"

"그런데?"

"유치원 선생님 어때?"

"오 별론데?"

"왜?"

"일단 귀엽다고 만만하게 보면 안 되고! 육아가 얼마나 힘든데?! 그리고 너무 단순해. 어떻게 꿈을 그렇게 단순하게 정하지? 진지하게 생각해 봐... 뭐... 진짜 하고 싶으면 하고. 난 상관없으니깐. 추천하진 않음."

"오키. 지금부터 공부한다! 아니 내일부터!"

"내 말 들은 건 맞겠지?"

다음날 교실

"뭐 하냐?"

"선생님이 되려면 책을 잘 읽어야 해!"

"...그래. 열심히 해."

수업 시작하고도 책을 읽고 있는 이은호

"야 지금 수업 시간인데 그걸 읽고 있냐.."

"이은호 뒤로 나가."

"네?"

"딴짓 다 보인다.."

"아 넵!"

그리고 10년이 지났다.

“오키. 졸업이다! 애기들은 사악하구나?”
이은호는 그 이후로도 열심히 공부해 유아교육과를 졸업했다.
“누가 대학 졸업이 7년이나 걸릴 줄 알았겠냐...”
집으로 걸어가는 중에 유치원을 보았다.
“선생님 이제 집에 가요?”
“쌤 여친 있나염?”
“쌤 왜 집에 가요?”
“쌤 맛있는 거 주세요.”
“그래그래 얘들아... 진정해.”
‘내가 생각하기에 지금 내가 보는 유치원 선생님은 초고난도다.’
“저긴 지옥이야?”
‘내 미래일 것이다. 욕하지 말자. 그래도 애기는 넘 귀여운걸...’
다시 발걸음을 떼 집으로 돌아가고 있었는데 내 발걸음을 멈추게 하는 포스터 하나가 눈에 들어왔다.
“유치원 선생님 모집?!!”
포스터의 내용은 하나하나 다 놀라웠다. 새로 지어지는 고급 유치원, 초보 가능이라던가, 성별은 상관없다던가. 게다가 집에서 가깝기까지 했다. ‘됐다.’ 이 생각만 들었다.

다음날
‘와 겁나 떨린다.’
면접은 한 달 뒤지만 일단 지원을 해야 해서 연락해 보기로 했다.
뚜르르... 뚜르르...

"뭐야 안 받나? 역시 난 안 되는 거 였"

띡-

'어?'

"여보세요?"

"아... 예?"

"여보세요?"

"아! 저 유치원 선생님 그거 지원이요."

"아 메일로 프로필"

"아니 이메일이 안 적혀 있고 전화번호가 적혀 있잖아요."

"아... 문자로 보내 드릴.. 아니 전화하셨으니깐 대충 말해보세요."

"네? 그래도 되는 거예요?"

"아니 걍 간단하게."

"예... 27살 남자. 이름 이은호여."

"어디 학과?"

"그건 보내 드릴게요."

"음 네.. 뭐 알겠습니다."

뚜... 뚜... 뚜...

"와 살았다."

다음날 문서를 지원하고 한 달이 지났다.

"와 한 달이 왜 이리 짧아?"

웅성웅성

'와 사람 완전 많은데? 족히 200명은 되어 보이는데... 넓어서

다행이네.'

"저기 안녕하세요?"

"아.. 네 안녕하세요."

"저기 혹시 이름이 어떻게 되세요? 제 이름은 이 준이에요."

"아 외자신가요? 어쨌든 제 이름은 이은호에요."

"와 이름 예쁘시네요!"

"하하. 그런가요?"

이준은 엄청 튀는 빨간 머리에 순둥순둥한 얼굴에 그렇지 못한 피지컬을 가지고 있었다.

'적어도 180은 되어 보이는데?'

삐-

"아아- 들리시나요? 마이크 테스트."

무대 위에 있는 사람은 갈색 머리에 귀엽게 생기고 조그맣다.

'교장선생님이신가?'

"번호는 다 받으셨길 바랄게요. 1번부터 면접장으로 들어오실게요!"

'내 번호는... 187번?.. 망한 건가? 언제 기다리지.'

"몇 번이세요? 전 18번인데ㅎㅎ"

"187번이요..."

"오우.. 같이 기다려 드릴게요."

"ㅎ감사하네요!"

5시간 후

"186번 들어오세요."

‘와 자그마치 5시간이라고... 이런 고난을 견디라는 건가? 9시라고! 이준님도 가셨다고! 좀 집 좀 가자..’

“187번 들어오세요~”

벌떡-!

분위기에 압도됐지만 뭐가 상관인가. 지금은 집에 들어가서 침대 다이브 하고 싶다는 생각밖에 안 든다.

끼익-

“오래 기다리셨어요.”

“아. 네.”

생각해 보니 저분들도 힘들겠지만 내 상관은 아니다.

“몇 가지 질문드릴게요.”

‘이것 때문에 내 5시간을... 아니다 참자.’

“네.”

“혹시 처음으로 이 일을 하신 건가요?”

“네.”

“아이들을 좋아하시나요?”

“네. 귀엽잖아요.”

“좋아하시는 이유가 귀여운 것밖에 없나요.”

“네.”

심사위원의 표정이 조금 구겨졌다.

“잘하실 자신 있으신가요?”

“당연하죠.”

“네. 그럼 나가보세요.”

"네? 이게 끝인가요?"

"네."

"아.. 안녕히 계세요."

끼익- 탁.

'이게 5시간 걸렸 아니 기다렸다고. 3 질문했다고. 그래도 이제 합격 여부만 남았다. 집에 가서 기다리기나 하자.'

다음날

"으아악.. 왜 이리 피곤하지? 집에 오자마자 씻고 잠든 것 같은데."

띠링-

"음 헐 벌써 9시네 근데 왜 알람이 울려."

틱-

[지원 감사합니다. '합격'입니다. 다음 달부터 출근해 주세요.]

? 내 눈으로 읽고 있는데 믿기지 않는다.

"이거 꿈이야?"

볼 꼬집

"? 아픈데 진짜 합격..? 와악!"

"근데 다음 달이면.. 일주일 남았.. 망했다 진짜. 그때 동안 인터넷에서 뭐 해야 하는지 찾아보자."

다음날.

깔끔한 흰색 벽지. 베이지색 이불. 똑딱 시계 소리. 그 평화를 뚫고 알람 소리가 6시에 울린다.

뚜르르르♬ 틱-

“와 이렇게 빨리 일어난 건 처음이네. 맨날 9시에 일어났는데 완전 졸려..”

약간 낡아 보이는 나무 옷장을 열고 잠시 멈춘다.

“뭘 입어야 하지? 정장? 아니 유치원은 정장 안 입지 않나..? 셔츠나 입고 갈까?”

고민하던 도중 침대에 있던 핸드폰에서 알람이 오는 소리가 들렸다.

띠링-

“? 뭐징”

곧장 옷장에서 침대로 뛰어가 핸드폰을 보았다.

[출근 7:30까지 오세요~]

무대 위에 있던 그 선생님. 오나리 선생님이 보낸 문자였다.

“와 큰일 났다. 그냥 대충 셔츠나 입고 가자. 빨리 씻자. 첫날부터 잘리기 싫으니깐...”

씻고 나갈 준비를 하고 바로 나갔다.

“하.. 뭔.. 30분 남았지만 아슬아슬하게 도착하겠다. 다행이당.”

그 순간 놀이터에서 울고 있는 아이를 보았다.

‘음? 뭐지. 길 잃어버렸나? 음..’

조금 고민하고 바로 그 아이에게 다가갔다.

“아이야 무슨 일 있어? 여기서 왜 울고 있어 이렇게 이른 시간에..”

“후에엥 삼촌ㅠ”

"으응? 삼.. 삼촌? 어 삼촌이야 하하.. 무슨 일이야 아기야."

"여기 우리 집 아닌데 엄마 오늘 온다고 마중 나갔는데 여기 아닌데ㅜㅜ"

"아아 울지 말고. 우리 친구? 몇 살?"

"7살."

"이야 7살? 이름이 뭐야?"

"백은혁인데.. 엄마가 알려주지 말랬는데... 후에엥"

"아아~ 부모님 전화번호 알아요?"

"010... 몰라몰라ㅠㅠ"

"아아 그래? 뚝! 뚝 하고 삼.. 촌이랑 어디 좀 같이 갈까?"

"...웅."

"그래그래 가자. 부모님 찾아줄게 형이~"

"웅 삼촌.."

"..."

'뭐 지금 도와주면 지각 확정이지만.. 어쩔 수 없지.'

다시 왔던 길로 돌아가 집 옆에 있는 파출소로 데려다 주기로 했다.

"삼촌 우리 어디로 가는 거야?"

"어 부모님 찾으러 가지!"

"어디로?"

"어.. 그 있어! 따라와 봐."

"웅.."

파출소로 가고 있을 때 누가 소리를 지르며 다가왔다.

"은혁아!"

40대처럼 보이는 한 여자가 여기로 다가왔다.

"아 어머님이세요?"

"어머 은혁아!"

그 여자는 식은땀이랑 땀을 구분할 수 없을 정도로 젖어 있었다.

"엄마!"

"은혁아 왜 나왔어! 엄마가 집에 갔다가 놀라서 심장이 떨어지는 줄 알았잖아..."

"엄마ㅜㅜ"

그 여자는 신발도 제대로 안 신고 은혁이를 끌어안고 있었다.

"하하 그럼 먼저 가 볼게요."

"네. 누구세요 근데?"

"엄마 이 형이 나 도와줬어!!"

“헉 정말요? 보답이라도 해 드리고 싶은데.”
“네? 전 한 게 없어요!”
“에이 은혁이 봐주셨잖아요.”
“아니 괜찮”
“번호라도 알려주세요. 오늘은 약속이 있어서요.”
“아.. 네 알겠습니다!”
나는 그 여자의 폰에 번호를 눌렀다.
“감사합니다! 나중에 연락할게요.”
“아 넵.. 은혁이 잘 가~”
“삼촌 빠빠~!”
가는 뒷모습을 보며 뭔가 잊어버린 기분이 들었다.
“아 맞다 출근”

탁탁탁 덜컥-
“허억 허억”
시계를 보니 7시 30분이었다.
“뭐야 안 늦으셨네요?”
“으아... 세이프.”
“빨리 준비해 주세요. 일 알려드릴게요.”
“아 넵..”
나는 일을 받고 내가 배정받은 개나리 반에서 애들을 기다리고 있었다.
“은호샘~ 애들 오면 데리러 가주세요~ 지금 왔어요~”

"아 넵!"
나는 설레는 심장을 잡고 밖으로 나가봤다.

"안녀...엉?"
"어? 삼촌이다."
'뭐지? 이런 우연이 있을 수가 있어?'
"어~ 은혁아 안녕~"
"삼촌은 왜 남잔데 유치원 해요?"
"어.. 유치원 선생님은 원하는 사람이 노력하면 다 할 수"
"아닌데 난 여자 선생님만 봤는데?"
"어.. 알겠어. 일단 들어갈까?"
"넹"
은혁이가 가는 사이 뒤에서 눈물을 흘리며 간다.
'슬프네. 그거 남녀 차별이야!.. 그래 이런 걸 참아야지..'
"와 유치원 진짜 좋다! 이제 여기서 우리 놀아요?"
"어 여기서 놀 거야!"
그때 누군가 문을 열고 들어왔다.
드르륵-
"안녕하세요 선생님~"
젊어 보이는 여자가 귀엽고 작은 여자애랑 같이 들어왔다.
"소은아 인사해야지?"
"안영하데요. 이소은이에요! 나이는 7시에요."
이소은 7살.. 여자.. 모르겠고 완전 귀엽게 생겼다.

"엉~ 소은이? 귀엽네?"

"헤 감사합니다."

드르륵

"오 뭐야 애들 왜 이리 많아."

7명 8명 되어 보이는 애들이 다 같이 들어왔다.

"아 애들아 일단 앉아서 얘기해 볼까?"

"누구세요?"

"일단 앉아봐 봐."

나는 많은 자리 중에서 제일 큰 놀이방에 앉아서 이야기를 이어갔다.

"얘들아 우리 일단 자기소개 먼저 해 볼까?"

"네? 누구신.. 아 선생님이에요?"

"엉.. 맞아."

"선생님이 남자예요?"

"아 그건"

"선생님은 애들 좋아하는 사람들은 다 할 수 있다고 선생님이 하셨어."

은혁이가 한 말을 듣고 조금 놀랐다.

'저렇게 쉽게 바뀔 수 있구나. 어린애들은 참 신기하다.'

"일단 저는 도연이라고 해요."

갈색 머리 남자애가 말했다.

"저는 시라에요. 안시라."

귀엽고 햄스터 상? 인 것 같은 검은 머리 여자애가 자기를 소개했다.

"저는 임서이라고 해요."

귀찮은 표정을 하고 있는 여자애가 말했다. 뭔가 잠만 잘 것 같다.

"저는 백은혁이에요."

은혁이 내가 알고 있는 유일한 애.

"전 고화라고 해요! 그럼 놀면 되는 건가요?"

말 안 듣게 생겼네..

"기다려 조금만 있다가 놀자 고화야."

장난 많아 보인다. 좀 많이 힘들겠다.

"전 연우라고 해요..."

여자애 같아 보이는 남자애다. 예쁘장하게 생기고 체격도 얼추 비슷하다.

"선생님은 이은호 선생님이야! 앞으로 잘 지내보자 얘들아!"

이렇게 해서 앞으로 1년 동안 겪게 될 이야기가 시작했다.

1시간 뒤......

"야야 이거 이렇게 하는 거라고"

"아니야."

"야 이거 벽돌 쌓고 놀자 얘들아!"

"아니 소꿉놀이."

"아니 일어나 서이야. 놀자 나랑~"

"음.. 좀 있다 놀자 제발."

'와 이게 뭐지? 내 상상은 이게 아닌데 조용히 하라고 하면 애들이 너무 슬퍼하지 않을까? 으아아...'

"선생님, 선생님 이거 가지고 저희 같이 놀아요."

애들이 소꿉놀이를 가지고 다가왔다.

'역시 애들은 착해ㅠㅠ'

"그럼 선생님이 멍뭉이 하세요."

"?..뭐?"

퇴근 후

"그럼 수고하세요. 먼저 갈게요."

"네 은호샘. 먼저 가세요ㅠ"

"넵"

문을 열고 나가다가 승현이를 만났다. 은호가 당황했다는 듯 말한다.

"...? 뭐야 하다 하다 스토커 짓까지 하냐?"

"아니거든! 나 이 근처에서 일하거.. 아니 그건 네가 신경 쓸 건 아니니깐. 간다."

승현이가 도망치듯 걸어갔다.

"뭐야?.. 승현이 오랜만이네."

승현이와는 어느 친구 때문에 나와 이간질당해서 멀어졌다.

"뭔.. 나랑 제일 친했는데 그 말에 넘어가냐. 뭔진 모르겠지만 뒷담 어쩌고 했던 것 같은데.."

띠링-

주머니 쪽에 넣어 놓은 핸드폰에서 알람이 울렸다.

“? 뭐지.”

[야 우리 내일 동창회 갈 건데 너도 올래?]

이 친구와는 그럭저럭 지낸 고등학교 동창 사이이다.

“? 그래 뭐 시간 널널하니깐”

[ㅇㅋ 근데 승현이도 오는데 괜찮아?]

“엉야”

[어 내일 봐~ 주소 보내줄게]

“응~”

뚜... 뚜... .뚜...

“근데 난 왜 한 번도 걔 못 봤지?”

집에 가서 씻고 침대에 누웠다.

“음.. 한 번 연락해 볼까? 근데 너무 안 좋게 끝났는데 괜찮을까?..”

그 상태로 1분 정도 고민하다가 나는 폰을 끄고 잠을 청했다.

‘내일은 애들이 멍뭉이 말고 다른 역할 주겠지?’

곰곰이 생각하다 잠들었다.

다음날

“와.. 왜 이리 몸이 뻐근하냐. 안 하던 짓을 해서 그런가? 온몸이 뻐근하네.”

출근하면서 은혁이를 만났는데..

“야 유희왕 카드 바꾸자고. 내가 더 좋은 거잖아.”

"싫어! 안 바꿀 거야!"
"은혁아 뭐 해."
"선생님ㅜㅜ"
"? 야 쪼잔하게 네 형 데리고 오냐?"
"아니야"
은혁이와 앞에 있는 애 카드를 보며
"야 누가 봐도 은혁이 게 좋아 보이는데 왜 거짓말하냐?"
"아니 그게.."
"빨리 집에 가서 어머니한테 사달라고 해"
"넴..ㅜㅜ"
그 아이는 울면서 어딘가로 뛰어갔다.
"음. 은혁아 선생님은 먼저 가야 할 것.. 근데 어머니는? 왜 혼자 있어."
"여기 우리 집인데, 심부름하러 온 건데, 카드 샀는데, 뺏길 뻔했는데ㅜㅜ"
"아 그런 거였구나. 음... 아! 어머니한테 전화 걸어줄까?"
"아니. 은혁이 혼자 집에 갈 수 있어!"
"어 그래? 괜찮아? 흐음 선생님이 데려다줄까?"
"조아요!"
"응 그래 집이 어디야?"
"오.. 모르는데요?"
"와 혼자 보냈으면 망했는데."
틱틱틱

"선생님 누구예요?"

"응 어머니한테 그냥 같이 등원해도 되는지 물어보려고~"

"선생님 오늘 토요일인데 유치원 가요?"

"아..?"

핸드폰을 보았다. 시간 밑에 토요일이라는 날짜가 적혀있었다.

"아! 오늘 토요일이구나!"

"네 선생님.."

"... 은혁아 집에 가자!"

놀이터를 지나 바로 앞에 있는 아파트가 은혁이의 집이었다.

"엉 은혁아 잘 가!"

"안녕히 가세요."

손을 흔들며 닫혀가는 엘리베이터 사이로 다 닫힐 때까지 있어 주었다. 닫히자마자 나는 현타 온 표정으로 멍하니 바라보았다.

'그래서 애들이 오늘 보자는 거였구나... 집에 가서 좀 쉬자!'

집에 들어가는 길 승현을 만났다.

"뭐야 네가 왜 여기 있어."

승현이 말했다.

"나는 집 가는 길이었는데."

"아 너도 동창회 오냐?"

"어."

"하.. 알겠어. 가라."

"어!!"

뒤를 돌며 뭔가 찝찝한 기운이 돌았다.

집에 들어간 뒤 나는 기절하듯이 잠들었다. 집에서 뒹굴뒹굴 거리다가 저녁에 허겁지겁 옷을 챙겨 나갔다. 은호가 말했다.
"야야ㅋㅋ 늦어서 미안."
반 친구 도준이 말했다.
"어어 괜찮아."
모두 인사하고 있을 때 승현만 인사하지 않았다. 은호는 그런 승현에게 먼저 인사했다.
"안녕~ 오랜만?"
"어제도 봤는데 왜 오랜만이야."
"에이 이렇게 만난 게 오랜만이라는 거지~"
도준이가 말했다.
"야야 둘이 얘기 그만하고 짠짠~"
은호가 말했다.
"얘들아 요즘 어떻게 지내?"
도준이가 말했다.
"나 그냥 그럭저럭 지내지."
"야 잘 지내네? 난 졸업하고 어떻게 지내야 되는지 걱정했는데 요즘 선생님 하잖아."
"헐 네가 선생님을 한다고?"
"엉야ㅋㅋ"
"아이고 행님"

"ㅋㅋㅋ"

모두가 즐기고 있을 때 한 명. 승현이만 즐기지 못하고 있었다. 모두가 즐기고 있을 때 몰래 승현이에게 말을 걸었다.

"야 밖에서 이야기 좀 할까?"

승현이가 말했다.

"난 할 말 없는데?"

"그냥 나와봐 좀."

"... 알겠어."

애들이 떠들고 있을 때 슬쩍 일어나 밖으로 나갔다. 승현이가 말했다.

"뭐 말하려고. 우리 할 이야기는 이제 없지 않아."

"하.. 너는 왜 걔 말만 믿는 거야."

"뭐?"

은호가 어이없다는 듯 말했다.

"왜 걔 말만 믿고 내 말은 안 믿는 거야?"

"..."

"적어도 한 번은 들어줘야지."

"걔가 너 뒷담 깠다고 했지? 다른 애한테도 그러고 나한테도 그러더라. 물론 난 안 믿었지만."

".. 미안 생각해 본 적이 없네. 네 입장을.. 정말 미안"

승현이 미안하다는 듯 말했다.

"갑자기? 고마워 다시 잘 지내보자."

"아직 믿진 못하겠는데 그래도 앞으로 잘 지내보자.. 뭐"

'얘 믿어도 되는 거지?'

"너 지금 속마음으로 믿어도 되냐고 했지."

"헐 어케.."

은호가 놀라며 말했다.

"? 진짜? 쨌든 들어가자. 애들이 눈치챘겠다. 이쯤 되면."

"엉야~"

문을 열고 들어가자 애들이 없었다. 은호가 말했다.

"뭐지 어디 갔지?"

시계를 보니 9시였다. 승현이 말했다.

"시간이 이렇게 됐다고?"

은호가 말했다.

"그럼 슬슬 집에 갈까."

"그래."

나가 같은 길로 가며 어색한 기류가 흘렀다. 승현이 말했다.

"나 오른쪽으로 가야 해서 먼저 가~"

"어어 잘 가."

오늘은 화해하고 출근도 안 하고 최고의 날이다. 빨리 집에 가서 쉬어야겠다.

다음날.

오늘은 일요일. 밖에 나가 산책을 하기로 했다.

'오 오늘 날씨 좋당.'

"엇 안녕하세요."

"어 시라야 안녕~!"

"선생님 뭐 하세요?"

"어 선생님 산책.."

우는 소리가 어디선가 들렸다.

"? 누가 우는데 어.. 같... 이 가볼래?"

"좋아요."

소리가 나는 놀이터 쪽으로 갔다.

"? 어 연우?"

"흐윽 죄송해요 많이 시끄러우셨죠."

은호가 말했다.

"일단 무슨 일이야?"

"사실 형 피에 맞는 피가 없는데.. 형 병원 갔는데 아푼데.. 형 죽는 거 아니에요?"

"어? 혹시 혈액형이?"

"Rh- B형인데요? 아마도 맞을 거예요."

그때 시라가 말했다.

"어 엄마가 나 Rh- B형이라고 했는뎅?"

"근데 시라는 나이가 어려서 못 하는... 아! 내 친구 중에 Rh- B형 있는데 기다려 봐."

뚜르르...

승현이가 전화를 받았다.

[ㅇ?]

“야 너 Rh- B?”

[ㅇㅇ 왜]

“너 헌혈 좀 해라.”

[? 갑자기?]

지금까지 있었던 일을 말해주었다.

[ㅇㅎ 그런 일이!]

“그니까 하라고.”

[ㅇㅇ]

“내일 나와.”

[엉야]

틱...

은호가 말했다.

“응 된대.”

‘근데 내가 이렇게 참견해도 되는 건가? 괜찮나? 원래 선생님은..’

“선생님 무슨 생각하세요? 제가 너무 귀찮게 했나요?”

은호가 말했다.

“어? 아냐 아냐ㅎㅎ 어디 병원이셔?”

“ㅇㅇ병원인데요. 좀 멀어요.”

“어어.. 혹시 다음 주에 괜찮을까?”

“네? 도와주시는 건데 당연하죠. 감사해요 선생님.ㅜ”

“엉엉 선생님이 친구한테 잘 말해 놓을게~ 내일 유치원에서 보자 연우야~”

시라가 말했다.

“선생님 저 잊으신 거 아니죠? 어쨌든 저 집에 가야 하는 시간이라 집에 가 볼게요. 샘 안녕히 계세요? 가세요? 쨌든 잘 가세요.”

‘아 맞다 시라가 있었지?’‘

“엉 잘 가 시라야 내일 보자~”

벌써 시계를 보니 6시와 5시 사이 그쯤 있었다.

“헉 선생님도 가 봐야겠다. 연우야 빨리 집에 가서 쉬어!”

연우가 말했다.

“네넵 선생님 감사합니다!”

집에 도착해 핸드폰 조금 하다가 침대에서 잠들었다.

다음날도 똑같이 출근하고 어머니와 통화 중에 조금 충격적인 말을 들었다.

[야 은호야.]

“네?”

[우리 토요일에 해외 가서 살려고. 아빠 회사가 돈을 많이 벌어서 미국에 회사를 차렸대. 어쨌든 다 가기로 했으니까 영어 공부해]

“어? 엄엄마?”

다급한 목소리로 불러보았지만 끊긴 뒤였다.

“...?”

나는 원장실로 들어가 원장 선생님께 말했다.

“네 진짜요?”

“그런가 봐요.. 그래서 금요일까지만 괜찮을까요?”

“아... 예?”

원장 선생님이 어리바리하게 수락하셨다. 당황한 건 나지만 교장 선생님이 더 당황스러워 보였다.

“예... 아.. 닙니다. 감사합니다.”

‘6일? 내가 열심히 준비한 건.. 뭐 다른 것도 해보고 그러는 거지 뭐.. 아닌가?’

“저 수업 가볼게요~”

은호가 말했다.

“안녕히 가세요. 열심히 해요.”

어이가 없었지만 수업을 들어가야 했기에 일단 나중에 생각하기로 했다.

드르륵...

“애들아 선생님 왔당.”

시끌시끌하다.

“헐 선생님 오셨어요?”

다 같이 말했다.

“안녕하세요 선생님!!”

“어어 그래 애들아”

근데 애들한테 잘해준 적이 없는데 왜 이리 잘 따르는지 궁금했는데 그냥 순수해서 그런 것 같다. 너무 귀여워!!!

“엉 애들아 잘 놀고 있었지? 놀아 놀아 애들아.”

“넹.”

이런 애들을 6일 뒤에 못 본다니ㅜㅜ 어느새 시간은 9시 낮잠 시간!!

"얘들아 낮잠 잘까?"

"넴!!"

애들 다 자는 걸 보고 교무실에 잠깐 다녀왔는데 한 명이 없어졌다!!

"엉? 뭐야 고화 어디 갔어."

낮잠 시간까지 1시간 안에 찾아야 하는데..

"저기 여기로 어떤 남자애 못 보셨나요?"

다급한 말투로 말했다. 유치원을 나와서 찾기로 해 길을 다니며 물어봤다. 중간에 공원 벤치에 앉아 쉬기로 했다. 땀인지 식은땀인지는 모르겠지만 땀이 흐르고 있었고 곧 쓰러질 것 같이 다리는 후들거렸다.

"어디 있는"

그때 놀이터 쪽에서 무언가가 걸어오고 있었다.

"어? 뭐지?"

"선생님이에요?"

"어? 고화야 왜 거기 있어?"

"엄마 보고 싶어서 나왔는데ㅜㅜ 집 어디로 가야 할지 모르겠어서 갔는데 여기야ㅜㅜㅜㅜㅜ"

"어어 그래 유치원 갈까?"

"응"

유치원에 도착하고 똑같은 하루가 지나갔다. 목요일에 출근을 했다. 애들이 놀고 있는데 그사이에 가만히 있는 아이를 보았다.

"서이야 왜 안 놀고 혼자 있어?"

"아 애들한테 피해 끼칠까 봐."

"에이 뭔 상관이야. 괜찮아 저기 가서 놀까?"

"괜찮아요?"

"엉 괜찮아."

"감사합니다. 선생님."

"에이 뭘~"

시간이 흘러서 토요일이 되었다. 승현이는 헌혈하러 갔고 나는 마지막으로 애들이랑 인사하고 가기로 하였다. 애들이 놀이터로 오라고 그랬다.

"애들아 선생님 간다.."

"샘 진짜 가요?"

"언제 다시 와여?"

"며칠 기다려요?"

애들과 헤어지기엔 너무 많은 아쉬움이 있다.

".. 애들아."

"넹?"

"선생님은 헤어지기 아쉬운데 헌혈하는 거 보러 갈까?"

"선생님 안 가요!"

애들은 오늘 본 표정 중에서 제일 기뻐 보이는 얼굴로 차에 탔다. 병원에 도착하고 승현이가 있는 회복실에 들어갔다.

드르륵-

"뭐야 너 해외 간다면서 왜 여기 있어?"

"어.. 안 가기로 했어."

애들과 승현이는 놀란 표정으로 날 쳐다보았다.

"진심이냐"

"어 진심."

"야 너무 잘됐다ㅋㅋ 오랜만에 저녁이나 먹을까?"

"어어 그래.."

띠리링 띠리링♬

주머니에 있는 핸드폰에서 진동이 울렸다.

"야 나 전화 좀 애들이랑 있어."

"어 빨리 와."

문밖으로 나가니 부재중이 6개나 쌓여 있었다.

"여보세요?"

[은호야! 왜 안 와!]

"엄마 나 해외 안 갈래. 나 애들이 넘 좋아!!"

[뭐라는 거야. 빨리 안 와?]

"왜 엄마 생각만 하는지 모르겠지만 난 안 가. 못 갈 것 같아."

[빨리 안 와!]

"엄마 갔다 와. 난 안 갈래 엄마. 어릴 때부터 반항 한 번도 안 했잖아. 한 번만 눈감아줘."

[..뭐.. 그래.. 3년 뒤에 보자.]

어머니가 체념한 듯한 목소리를 끝으로 전화를 끊었다.

"...."

드르륵

"어 은호야 왔어? 애들 부모님들이 데리고 가셨는데 저녁이나 먹을까?"

".. 그래"

병원 주변에 있는 고깃집에 들어갔다.

"애들한테 들었어. 그 자식이 거짓말한 거라고. 왜 말 안 했어?"

"난 말했다. 네가 안 믿었잖아ㅋㅋ"

"미안."

"괜찮아. 화해했잖아."

"고맙네."

나는 떠나기엔 노력한 것도 많고 힘든 일도 많이 했다. 버리기엔 아쉬워서 힘들 것 같다. 앞으로도 이렇게만 지냈으면 좋겠다!!

추억 셋. 꿈속의 생쥐

서동현

지금부터 일어날 사건들은 모두 세라의 이야기입니다. 세라는 어렸을 때의 꿈 한 번으로 인생에 너무 큰 영향을 받았어요. 세라의 꿈의 배경인 1980년대로 가보겠습니다. 세라는 전학을 오게 되었어요. 처음 보는 친구들, 처음 보는 길에 너무 설레어 가슴이 두근거렸어요. 설레는 맘을 감추고 옆에서 떠들며 걷고 있는 아이들에게 말을 걸어 봤어요.

"안녕. 내 이름은 세라고 1학년인데 혹시 너희는 몇 학년이니?"

세라가 말했어요. 그랬더니 옆에 있는 아이 한 명이 큰소리로 대답했어요.

"안녕. 나는 박윤제고, 얘는 윤민지야. 우리도 1학년이야!"

그렇게 등굣길을 두 친구와 수다 떨며 가다 보니 순식간에 학교 바로 앞에 도착했어요. 그런데 알고 보니 세라의 학년은 반이 4개였고, 세라와 윤제 민지는 같은 반이었어요. 그렇게 셋은 많이 친해졌어요. 빠른 시간에 친해질 수 있는 데는 잘 맞는 부분이 있었어요. 바로 세 명 모두 Stay였어요. Stay는 Straykids의 팬 명이었어요. 그중 세라가 가장 오래된 팬이었어요. 그렇게 셋은 정말 돈독한 사이가 되었죠.

어느 날은 세라의 집에 다 같이 놀러 갔었어요. 세라의 방에는 Straykids의 굿즈들이 가득했어요. 민지와 윤제는 너무 부럽고 신이 났어요.

"우와!! 이건 뭐야? 어! 이건 이번 신곡 앨범이잖아!"

윤제와 민지가 너무 부러워하자 세라는 작은 굿즈들을 한 개씩 나눠주었어요. 윤제와 민지는 너무 고맙고 기뻤어요. 그때 갑자기 누군가 방문을 두드렸어요.

"똑, 똑, 똑"

"세라야 엄마야! 간식이라도 준비했는데 애들이랑 먹을래?"

세라의 엄마가 말했어요.

"엄마 알겠으니까 방에서 나오지 마세요."

조금은 따가운 말투로 세라는 엄마에게 대답을 했어요. 민지와 윤제는 당황해서 물었어요.

"세라야 어머니께 왜 그래. 우리가 불편할까 봐 그런 거면 괜찮으니까 편하게 나와 계셔도 된다고 말씀드려도 돼."

그치만 세라는 당황한 듯이 말했어요.

"아니야. 엄마도 그게 더 편하실 거야."

그렇게 의아한 생각을 갖게 된 민지와 윤제는 조금은 침울해진 표정으로 거실에서 간식들을 먹고 세라와 작별인사를 했어요. 집 가는 길에 윤제와 민지는 아이스크림 가게에 들러 서로 얘기를 나눴어요.

"민지야 사실 아까 좀 이상했어. 세라 집에서 나올 때 벽에 뭘 친 것처럼 파여 있는 자국, 유리 조각도 있고 좀 쎄했어."

윤제가 말을 꺼내자 민지도 같은 생각이라는 듯이 공감했어요.

"맞아, 나도 그렇게 느꼈어. 아까 어머니께 인사도 못 하고 보지도 못하게 한 것도 그렇고 분위기도 싸했어. 아! 그리고 저번에 세라 팔에 맞은 듯한 피멍이 있었어."

윤제와 민지는 같은 생각으로 얘기를 나눴어요. 윤제와 민지는 세라가 가정폭력을 당한다고 생각했어요. 그래서 민지와 윤제는 세라에게 내일 꼭 물어보기로 했어요. 다음날 민지와 윤제는 세라에게 가서 말했어요.

"세라야 혹시 너 집에서 무슨 일 있어?"

민지가 물어봤어요.

"응..? 그건 왜...?"

세라는 몹시 당황한 듯했어요.

"아니. 아무 일 없어."

세라가 굳은 표정으로 대답했어요.

"응, 알겠어,,,"

민지가 대답했어요. 민지와 윤제는 세라가 단호하게 말하는 걸 보고 오해였다고 생각하고 넘어갔어요. 그렇게 평소처럼 학교에 가서 수업을 들었어요. 그런데 일주일 뒤 수련회를 가게 된다는 사실을 알게 되었어요. 세라와 민지, 윤제는 수련회를 가게 되어 무척 기뻤어요. 담임 선생님은 준비물 목록과 수련회 시간표를 나눠줬어요. 세 친구들은 기대되는 마음으로 일주일을 순식간에 보냈어요.

드디어 하루 남은 수련회. 떨리는 마음에 잠이 오지 않았던 세라는 마지막으로 캐리어를 정리했어요. 그리고 잠이 들어 다음날이 밝았어요. 세라는 윤제와 민지를 만나서 신나게 등교를 했어요. 다른 부모님들은 용돈을 넉넉히 줬지만, 세라는 용돈을 못 받아서 휴게소에서 아무것도 먹지 못했어요. 그래도 세라는 수련회를 가게 되어 기분이 좋아 보였어요.

드디어 목적지에 도착했어요. 기대가 찬 얼굴의 세 친구들은 버스에서 내려서 따가운 햇빛을 마주했지요. 다른 아이들도 엄청 들떠있었어요.

"얘들아 신나는 건 알겠는데 괜히 그러다 다칠 일 만들지 않아야겠죠? 다들 조심히 다니세요!"

"네!!"

아이들은 모두 숙소에 들어가 짐을 풀고 모였어요. 밥도 먹고 숙소도 둘러봤어요. 그리고 관광지에도 갔어요. 그런데 캡슐형 케이블카도 타게 되었어요. 그런데 2인용이라서 세라, 윤제, 민지 중 한 명은 혼자 타야 하는 상황에 놓이고 말았어요. 세라와 윤제, 민지는 모두 혼자 타기 싫었어요. 혼자 타면 너무 재미도 없고 부끄러울 것 같았던 거예요. 그래서 가위바위보로 했더니 세라와 윤제가 이겨서 둘이 타게 되었어요. 민지는 아쉬웠지만 그래도 괜찮다고 했어요. 세라와 윤제가 둘이 먼저 타러 갔어요. 세라는 윤제에게 할 말이 있다며 말을 꺼냈어요.

"윤제야. 사실 내가 말 안 한 게 있는데 민지한테는 따로 말하려고 하거든."

윤제가 대답했어요.

"뭔데? 궁금하게."

"사실 내가 너희를 집에 초대했을 때 있었던 핏자국, 유리 자국은 우리 집에서 했던 할로윈 파티 때 무서운 분위기를 잡기 위한 거였어. 그리고 사실 우리 어머니는 얼마 전에 다리를 다치시는 바람에 수술을 하셔서 되도록 걷지 못하시게 한 거였어. 너희가 오해할 만해."

세라는 지금까지 말할까 고민하다 혹시 안 말하면 또 오해가 생길까 봐 말해준 거였어요.

윤제는 이 사실에 놀랐어요.

"나는 그런 건지 몰랐어. 오해해서 미안해."

이렇게 서로 진심을 전하다 보니 케이블카가 도착했어요. 케이블카 탑승이 끝난 뒤 밥을 먹고 숙소에 들어갔어요. 민지에게도 윤제에게 했던 얘기를 했어요. 민지도 놀란 반응이었어요.

"헐.. 세라야 막 오해부터 해서 미안해."

그렇게 오해가 풀리고 세 친구는 모두 잠에 들어버렸어요. 그런데 밤 10시에 모든 학생들이 집합했어요.

"자자!! 동성중학교 1학년 친구들 10분 안에 강당 앞으로 집합하세요."

조교선생님이 말씀하셨어요. 친구들이 다 모이자 조교선생님은 말했어요.

"친구들 지금부터 담력체험을 3인 1조로 짜서 할 거예요. 겁이 너무 심하게 많아서 절대 못 하면 저 선생님한테 가세요!"

세라와 윤제, 민지는 겁이 많이 없어서 좀 기대했어요. 셋은 같은 담력 체험 조가 되었어요. 조금 뒤 담력 체험이 시작됐고, 그 셋은 4번째로 들어가게 됐어요. 산에 올라가면 어둡고 무서운 데다 귀신인 척하는 선생님들도 있어서 겁이 났어요. 먼저 올라간 친구들은 너무 소리를 지르는 바람에 녹초가 됐어요. 윤제가 먼저 말을 꺼냈어요.

“얘들아 잘할 수 있겠지? 좀 무서워.”

민지가 말했어요.

“괜찮아. 나도 무섭긴 한데 좀 재밌을 것 같아!”

그렇게 세라, 민지, 윤제의 차례가 다가왔어요. 손전등을 한 개씩 들고 가기 시작했어요. 세 명씩 산을 올라갔어요. 나무들이 바람에 날리는 소리와 깜깜한 밤길에 너무 겁이 났어요.

“스르륵”

소름 끼치는 소리가 들렸어요.

“너무 무서워ㅜㅜ”

세라가 말했어요.

한걸음, 한걸음 발을 디뎠어요. 세라와 윤제는 너무 무서워서 눈을 반도 못 떴어요. 그런데 민지는 용감하고 무서운 것도 좋아해서 겁이 나지 않았어요. 그래서 용감한 민지 덕분에 잘 가고 있었어요. 1/3 정도 갔을 때쯤이었어요.

“딸그라랑!!”

세라의 손목에 있던 손목시계가 그만 떨어져서 굴러갔어요. 게다가 지름길 앞쪽으로 굴러가 버려서 잘 보이지도 않았어요.

“얘들아 잠시만 내 시계 좀 빨리 가져올게.”

세라는 이렇게 말하고는 지름길 앞으로 달려갔어요. 세라는 바닥에 손을 더듬으며 손전등을 비췄어요. 그때 갑자기 신발에 무언가가 올라온 게 느껴졌어요. 세라는 그대로 몸이 굳었어요.

"찍찍찍"

그 순간 세라의 발에 올라온 생쥐로부터 몇백 마리의 생쥐가 세라를 뒤덮었어요. 세라는 생쥐에게 온몸을 찢겼고 비명소리조차 못 내고 잔인한 시체로 변했어요. 그 순간 세라를 손전등으로 비춰주던 윤제와 민지는 온몸이 굳고 머릿속에 충격이 가득했어요.

그렇게 아무 말 없이 윤제와 민지는 얼마 남지 않은 출구 쪽으로 뛰어갔어요.

"민지야 세라 어떻게 해?"

윤제는 굳은 표정과 떨리는 목소리로 말했어요. 민지도 발걸음을 멈추고 윤제에게 말했어요.

"모르겠어.. 너무 무서워.."

민지와 윤제는 천천히 몇 발을 내디디며 담력 체험을 끝냈어요. 그러고는 둘이 생각했어요. 너무 무섭고 그 기억을 떠올릴 때마다 너무 두려웠어요. 그때 선생님이 윤제와 민지에게 물었어요.

"얘들아 세라는 어디 갔니?"

윤제와 민지는 선생님의 질문에 당황했지만 솔직하게 털어놨어요.

"선생님 사실 세라가 산 중간쯤에서 쥐 몇백 마리에게 파묻혀서 찢겼어요.."

선생님은 믿기 힘들다는 표정으로 대답하셨어요.

"뭐? 지금 뭐라고 한 거니?!"

그 순간 선생님이 소리칠 때 세라는 잠에서 깼어요. 세라가 지금까지 있었던 일을 볼 수 있었던 건 세라가 꿈을 꿨기 때문이었고, 세라는 꿈속에서 자신이 죽어가는 모습을 너무 실제처럼 느끼게 된 거였어요.

세라는 잠에서 깨고도 충격에서 벗어 나오지 못했어요. 세라는 그대로 오만가지 생각이 들었어요. 거실로 나갔더니 새벽 6시였어요. 그대로 한 시간이 흐르고 엄마가 방에서 나와서 말했어요.

"세라야 뭐 해. 전학생이 첫 등교 준비도 해야지!"

세라는 이 말에 크게 놀랐어요.

"네?"

그러니까 세라는 꿈속에서 갔던 학교를 실제로 간다는 거였어요. 그리고 열린 등굣길.

꿈에 나왔던 것과 똑같은 배경과 똑같은 친구들, 그리고 곧 닥칠 일들이 꿈속에서 있던 일들과 똑같았어요. 세라는 하루하루가 무서웠고 생쥐의 생자만 들어도 온몸이 떨리고 무서웠어요.

'앞으로가 너무 무서워.'

다른 사람들에게는 그냥 지나갈 만한 일이었지만 세라에게는 그 꿈이 너무나도 생생하고 무서워서 자꾸만 생각났어요.

세라는 하루하루를 힘겹게 지냈어요. 그리고 수련회가 다가왔어요.

'이대로는 안 되겠어.'

세라는 결심했어요!

'엄마에게 이 사실을 말할 거야.'

세라는 집에 가서 엄마를 불렀어요.

"엄마, 사실 제가 전학 오고 첫 등교 전날 밤에 지금 오게 된 학교에 대한 무서운 꿈을 꿨어요. 그런데 그 꿈이 현실과 이어지고 있어서 항상 꿈이 떠오르고 겁이 나요."

세라는 곧 나올듯한 눈물을 참고 말했어요. 그 말을 듣고 놀란 세라의 어머니는 세라를 다독이며 말했어요.

"세라야. 그런 일이 있었는지 엄만 몰랐네. 네가 이렇게까지 힘들어하는 걸 보니 너에게 얼마나 큰일이었는지 짐작이 가는구나."

엄마의 말에 세라는 흐느꼈어요. 그렇게 세라와 세라의 엄마는 기나긴 대화를 나눴어요. 그러고는 세라가 전학을 가기로 결정되었어요.

"사람 속이는 게 제일 쉽네."

세라는 새 학교 가는 길에 이런 혼잣말을 했어요. 옆에 있던 세라의 엄마는 별거 아니겠거니 하고 한 귀로 흘려들었죠. 세라는 새로 간 학교에 생각보다 빨리 적응할 수 있게 됐어요. 세라의 엄마는 그런 세라의 모습을 보며 다행이라고 생각했어요.

그런데 세라는 그 일을 한순간에 잊어버린 것처럼 너무 행복해 보였어요. 마음이 놓인 세라 엄마에게 한 문자가 왔어요.

며칠 전 세라의 엄마는 세라가 그 일을 겪었던 학교 선생님께 전학 사유를 설명할 때 옆에서 세라가 다급하게 "엄마 선생님께 그 얘기 굳이 안 하고 싶어요. 그냥 이사 간다고 해주세요."라고 말해서 이사로 전학 간다고 했지만, 세라의 엄마는 세라의 친구들이 걱정돼서

윤제와 민지에게도 갑작스럽게 전학을 가게 되어
세라 대신 미안하다고 전해주세요~

라고 보냈던 게 생각나 바로 확인했어요. 그리고 온 답장을 읽은 세라의 엄마는 순간 몸이 굳는 듯한 느낌을 느끼며 큰 충격을 받았어요.

세라 어머니, 저희 학교에 그런 학생은 없습니다.

세라의 어머니는 저번에 세라가 혼잣말을 했던 게 생각났어요.

세라의 이야기는 이렇게 끝이 났어요. 이걸 읽고 있는 당신도 이렇게 누군가를 속여본 적 있죠? 거짓말, 누구나 한 번쯤은 해봤을 거예요. 물론 모든 거짓말이 나쁜 건 아니지만 거짓말은 언젠가 들통나지 않을까요? 한 번 하면 끝이 없는 게 거짓말이거든요.

근데 대부분의 거짓말은 나중에 후회로 찾아오더라고요. 그러니까 앞으론 이 책에 나오는 세라처럼 누군가를 속이기보단 누군가에게 솔직해져 보는 건 어떨까요?

추억 넷. 열여덟 살의 겨울

동글이

"이건 뭐야...?"

길을 걷던 제노가 바닥에 떨어져 있던 어두운 색깔의 버튼을 주워 들었다. 제노는 그 버튼을 만지작만지작 거리다가 생각했다.

'근데 뭘 위한 버튼이지? 한번 눌러볼까..?'

제노는 호기심 때문에 버튼을 눌렀다. 버튼을 눌렀지만 주변은 평소처럼 고요했다.

"뭐야.. 아무 일도 안 생기네."

제노는 버튼을 제자리에 다시 놓고 발걸음을 옮겼다. 집에 도착하자마자 소파에 몸을 던졌다.

'어우 피곤해라..'

소파에 누우니 몇 분 안 돼서 눈이 감겼다.

"으아 잘 잤다."

자고 일어나니 3시간은 지난 것 같았다. 제노는 곧장 화장실로 향했다. 제노는 화장실에 들어가 거울을 보았다. 거울에 비친 얼굴을 보고 제노는 얼굴을 더듬었다.

"말도 안 돼.."

제노는 놀라 입이 떡 벌어졌다. 그 이유는 거울에 비친 얼굴이 18살의 얼굴이었기 때문이다. 제노는 그 짧은 시간에 바뀐 얼굴을 보고 너무 놀라 뒤로 넘어졌다. 제노는 오만가지 생각이 들었다.

'내가 뭘 잘못한 건가? 뭐지? 내가 방금까지 자다가 일어나서 헛것이 보이는 건가? 내가 오늘 했던 게 뭐지?'

제노는 오늘 자신이 했던 일을 되돌아보았다.

"내가 오늘 산책을 하고 싶어서 나가서 산책을 하다가.. 아 버튼!"

제노는 오늘 했던 일을 되돌려 보다 버튼이 생각났다. 제노는 그 버튼을 찾으려고 다시 갔지만 그 버튼은 찾고 찾아봐도 안 보였다.

'누가 가지고 간 건가? 사라진 건가?'

아무래도 사라졌다는 표현이 더 잘 맞을 것 같다. 제노는 끝내 버튼 찾는 걸 포기하고 집으로 돌아가려고 했는데..

"아 맞다. 나 지금 얼굴이 젊어졌지..?"

제노는 자신의 얼굴이 젊어진 것을 한 번 더 깨닫고 또다시 생각했다.

'그럼 지금 이 상태로 우리 집에 가서 있으면 좀 이따 딸이 왔을 때 누구냐고 소리칠 수도 있고.. 근데 설명을 해도 안 믿겠지? 아 동혁이 집을 가서 설명을 하면 믿어주지 않을까.. 아니 설마 같이 활동했는데 18살의 나를 못 알아보겠어?'

제노는 희망을 가지고 동혁이의 집으로 향했다. 제노는 동혁이의 집에 도착해 심호흡을 하고 초인종을 눌렀다.

"띵동~"

"누구세요!"

"문 좀 열어.. 나 제노야 문 좀 열어봐."

"아 알겠어."

동혁이는 현관문 앞으로 다가가 문을 열어주었다.

"웬일이ㄴ.. 누구세요!"

동혁이는 제노의 얼굴이 아닌 어린 친구가 있어서 문을 바로 닫아버렸다.

"아니 동혁아 진짜 나 제노라고 이제ㄴ.."

"거짓말 좀 적당히 치시지? 어려 보이는데 그런 식으로 계속 나오면 가만히 못 있어. 아저씨도."

동혁이는 젊어진 제노에게 제노인 줄 모르고 계속 이상한 사람

취급을 했다. 제노는 18살을 함께 했는데 못 알아본 동혁이에게 살짝 서운했지만 곧바로 정신을 차렸다.

"아니, 동혁아. 진짜 이건 꼭 말해야 하는 거라고."

"얼굴이 다른데 왜 이제노야. 꼬마야 너 우리 집 앞까지 와서 왜 이러는지 모르겠는데 너 제노 아니잖아. 그리고 내 이름은 어떻게 알았니? 뭐 스토커야?"

"혁아 진짜 나 제노 맞다고.. 고등학생 때 내 얼굴 기억 안 나? 18살 때 이제노!"

동혁이는 제노의 말에 생각에 잠겼다. 동혁이는 바로 핸드폰 갤러리에 들어가 제노와 함께 찍은 사진을 찾아보았다. 제노의 18살의 사진을 보니 닮은 것 같다고 생각이 들었지만 아직 정확한 건 아니라서 아직 의심하고 있었다.

"동혁아 어디 갔니..?"

제노가 말했다.

"일단 너 들어와 봐."

동혁이는 문을 열어주었다.

"동혁아 진짜 고마워ㅠㅠ"

제노는 눈물이 그렁그렁한 상태로 동혁이를 안으려고 다가갔지만 동혁이는 밀어냈다.

"동혁아.."

"너 확실하게 믿어서 들어오라고 한 거 아니고 옛날 사진 보니까 좀 닮은 것 같아서 들어오라고 한 거니까 안지 마."

"아니 그건 알겠는데 솔직히 좀 서운한데.."

"서운한 건 잘 알겠는데 지금 안 믿겨서 그러는 거니까 이해 좀 해줘라."

"아니.. 알겠어.."

동혁이는 제노의 옛날 사진과 옛날의 얼굴로 바뀐 지금의 제노 얼굴을 번갈아 가며 봤다.

"똑같기는 한데.."

"혁아 들어봐. 상황을 설명해 줄게."

제노는 산책하다 버튼을 발견해서 눌러봤는데 이렇게 되었다라는 상황을 자세하게 설명해 주었다.

"아 그러니까 네가 그 버튼을 누르고 집에 가서 갔는데 이렇게 변했다?"

"응!! 그거 맞아."

"근데 그게 일어날 수 있는 일인가..?"

"아니 몰라. 근데 진짜 생겼잖아. 솔직히 이 정도면 믿어줘라 동혁아."

"믿고 있어. 재촉만 하지 말아 봐."

"알겠어. 고마워 동혁아. 진짜ㅜㅜ"

"울지 마 제발."

동혁이는 옛날처럼 바뀐 제노를 인정했다. 제노는 지금 자신의 상황을 이해한 동혁이가 너무 고마워서 또 안으려 했다. 동혁이는 하는 행동이 딱 제노라 더욱더 믿음이 가서 제노를 꼬옥 안아주었다. 제노는 고마운 마음에 동혁이 품 안에 안겨 펑펑 울었다.

"제노야 울지 마.. 눈 아프겠다.."

"응.. 고마워 혁아."

제노는 훌쩍거리다 현실을 자각해 울음이 그쳤다.

"근데 혁아 나 지금 이런 모습으로 집에 가서 설명을 해도 안 믿어주겠지?"

"그럼 당연한 거 아닌가..? 예를 들어서 말을 해주자면 네 아내 서아가 갑자기 18살의 얼굴하고 너한테 와서 '제노야 나 서아야.. 좀 믿어줘. 문 좀 열어봐.' 막 이러면 너라면 그게 서아라고 믿을 것 같애?"

"아니.. 못 믿겠지."

"그러니까 지금 네가 집에 가도 서아랑 네 딸 사라가 안 믿어준다고."

"아 그런가.. 그럼 어떡하지.."

제노는 입술을 뜯었다.

"같이 찾아봐야지."

제노와 동혁이는 해결책을 찾기 위해 생각에 잠겼다. 그때 동혁이가 입을 열었다.

"일단 넌 우리 집에서 네 몸이 바뀌기 전까지 살아."

"그럼 네 집에 있을 동안 가족들한테 뭐라 말해?"

"아니 너 회사 다니니깐 해외로 좀 오래 간다고 해."

"아 그게 나은가.."

제노는 고개를 갸우뚱거리며 생각을 했다. 생각을 마친 후 제노는 동혁이의 말대로 '해외로 갑자기 출장을 가게 되어서 한동안 집에 못 들어갈 것이다'라고 서아에게 먼저 말했다. 서아는 '조심히 다녀와라. 잘해라.'라고 말한 반면, 사라는 '아빠 그럼 언제 와? 맛있는 거 사와!' 등을 말했다. 동혁이는 옆에서 통화를 엿듣고 사라가 귀엽다는 듯이 웃다 입을 열었다.

"아 딸은 진짜 딸이다. 너무 귀여운 거 아니냐ㅋㅋ"

"당연하지 내 딸인데. 내 딸이니깐 귀여운 거야."

"그래 그건 맞지. 이제 회사에 전화해야지."

"아 맞다."

제노는 회사에 전화해 사정이 있어 잠시 못 다닐 것 같다고 말했다.

"근데 이제 또 할 거 있나?"

"몰라. 없는 것 같은데.. 아! 너 지금 모습이 18살이라서 학교 또 다녀야 하는 거 아니야?"

"에이, 굳이 학교를 또 왜 가냐."

"뭐.. 그래"

학교를 안 가도 된다고 생각한 제노는 잠시 편의점에 갈 건데 같이 갈 거냐고 동혁이에게 물었다. 동혁이는 집에 있겠다며 달달한 것 좀 몇 개 집어서 사 오라고 말해서 제노는 알겠다 하고 밖으로 나왔다. 제노는 엘리베이터에서 할머니 한 분을 만났다.

"학생 학교는 안 가고 어디 가는 거여?"

할머니가 물으셨다. 제노는 순간 당황했지만 말을 꺼냈다.

"아.. 저 그 지금 학교 가려고요!"

"그래? 근데 왜 지금 가? 학교 수업 시간 아니여?"

"아 아파서..! 아프다고 하니까 좀 쉬고 괜찮으면 그때 오라고 하셔서요!"

“아 그런 거여? 요즘엔 그런 것도 되나 보네. 우린 아파도 꾹 참고 수업 들으러 학교 가야 했었는데ㅎㅎ”

“아..ㅎㅎ”

“그려. 어쨌든 학교 잘 다녀와라.”

“네 할머니. 할머님도 잘 다녀오세요!!”

“그려~”

제노는 할머니와 헤어지고 난 후 긴장해 참았던 숨을 내뱉었다.

“어휴.. 다행이다.”

제노는 곧바로 집 앞에 있는 편의점으로 향했다. 제노는 먹고 싶었던 음식을 고르고 동혁이가 부탁한 달달구리한 초콜릿, 젤리 등을 고르고 있었다.

“어..! 아까 그 학생 아니여?”

소리가 나는 쪽으로 고개를 돌려보니 아까 엘리베이터에서 만났던 할머니였다.

“아.. 네ㅎㅎ 맞아요.”

“학교 간다고 하지 않았니? 왜 편의점에 있는 거여?”

할머니께서 제노에게 엄청 집요하게 물어봤다.

“아.. 저 배가 살짝 고파서 뭐 좀 사 먹으려고 왔어요ㅎㅎ”

제노는 곰곰이 생각하다 배가 고파서 잠시 들렸다고 말을 했다. 할머니께서는 밥 잘 먹고 학교도 잘 다녀오라고 말하셨다.

“넹. 할머님도 잘 다녀오세요!”

제노는 이 말을 하고 바로 동혁이에게 전화를 걸었다.

“여보세요?”

"야 동혁아."

"왜. 뭔데."

"나 학교 다녀야 될 것 같다."

"엥? 아깐 안 다니겠다고 했으면서 갑자기 생각이 왜 바뀌었대?"

"아니 윗집에 사시는 할머니분께서.."

"어어."

제노는 할머니를 만난 그때부터 아까 편의점 일까지 모조리 말했다.

"아 그거 때문에 다녀야 할 것 같다고? 그럼 내일 학교 가서 입학 신청서 내."

"아 알겠어."

제노는 동혁이와의 통화를 끝마치니 집 현관문 앞이었다. 제노는 아까 편의점에서 산 간식과 음식을 사 들고 집에 들어갔다.

"어 왔냐."

들어가자마자 동혁이가 맞이해 주어서 제노는 내심 기분이 좋았다.

"어 왔다."

제노는 편의점에서 산 간식과 음식이 담긴 봉투를 식탁 위에 '툭' 내려놓았다. 동혁이는 어린아이인 것 같이 간식이 있는 곳으로 바로 달려갔다. 동혁이는 뒤적뒤적 거리다 제노에게 물어봤다.

"이게 내건가?"

동혁이의 손에는 제노가 동혁이 거라고 사 온 초콜릿과 젤리가 들려 있었다.

"어 그거 네 거야. 그 음료수 중에 먹고 싶은 거 있으면 그거 먹어도 된다."

"아 오케이 고마워."

동혁이는 그 음료수 중에 토레타를 선택해 마셨다.

"와.. 진짜 너무 시원하다 제노야."

"ㅋㅋㅋ 포카리 남았냐."

"어 나 포카리 말고 토레타 마심."

"아 오케이, 야 나 포카리 좀. 목이 마르네."

"아 귀찮게.."

동혁이는 툴툴거리며 제노에게 포카리스웨트를 주었다.

"아니 혁아. 넌 어릴 때랑 달라진 게 아예 없는 것 같다? 어찌 됐든 고맙다."

"응 그래."

동혁이는 어이없다는 듯이 대답했다. 그 후 동혁이와 제노는 함께 간식을 먹고 영화를 보고 있었다. 한참 영화를 보고 있었는데 제노의 폰에서 벨소리가 울렸다. 제노의 폰을 보니 '예쁜 우리 딸'이라고 쓰여 있었다.

"야 전화 왔는데 받아?"

"아니 받지는 말아 봐. 이해해 주겠지."

"아 일단 안 받는다."

"좀 이따 전화해서 비행기 타고 있어서 전화 못 받았었다고 해."

"오케이. 그럼 영화 마저 보자."

제노와 동혁이는 보다 남은 영화를 마저 봤다. 그 후 제노는 아까 전화를 못 받았던 사라에게 전화를 걸었다.

"여보세요? 아빠! 뭐해?"

“아 아빠 지금 홍콩으로 출장 왔어.”

“아 그렇구낭.. 근데 아까 전화는 왜 안 받았어?”

“아 아빠 아까 비행기 안에 있었어서 전화 못 받았어.”

“아 그래? 그럴 수 있지. 잘 다녀오고.”

“어 알겠어. 우리 딸도 잘 지내고 있어. 알겠지?”

“알겠어. 끊을게.”

제노는 사라와의 통화를 끊고 긴장해서 참고 있던 숨을 내뱉었다.

“야 이거 나 잘한 거 맞는 거지?”

“어. 잘했어.”

동혁이는 제노에게 칭찬을 해주고 소파에서 일어났다.

“뭐야 니 어디 가냐.”

“나? 자려고. 지금 11시야. 내일 출근도 해야 해서 어쩔 수 없어.”

“야 그럼 나는 어디서 자는데.”

“너? 모르지. 소파에서 자던지.”

“아니 그건 좀;;”

제노는 소파에서 자라고 하는 동혁이가 약 올랐다. 제노가 약이 올라 한마디 하려고 하자 동혁이가 말했다.

“아님 저기 하나 남은 방 있는데 거기서 자. 이불은 줄게. 너 알아서 깔고 누워라.”

“알겠어 혁아 고맙다.”

동혁이는 제노에게 이불과 베개만 주고 자신의 방으로 쏙 들어가 버렸다. 제노는 그 방에 들어가 이불을 깔았다. 그 위에 눕고 덮는 이불을 덮었다. 제노는 편안한 표정을 지었다.

"아.. 따뜻해.."

제노는 졸렸는지 눕자마자 거의 바로 잤다. 제노는 8시쯤에 일어나 거실로 나갔다. 거실에 나가니 동혁이의 모습은 하나도 안 보이고 식탁 위에 쪽지만 있었다.

'야. 나 회사 가니까 너 알아서 학교 가서 등록해라. 밥은 차려놨으니까 먹고. 아 집 청소도 해주면 좋고ㅎ 좀 이따 봐.'

쪽지엔 이렇게 쓰여 있었다.

"아니 마지막은 사심이잖아.."

제노는 마지막에 쓰여 있는 집 청소 얘기가 별로였지만 지금까지 많은 도움을 받아서 그냥 해주기로 했다. 제노는 식탁 위에 있는 밥을 먹으며 생각에 잠겼다.

'근데 이건 며칠 가는 거지. 좀 오래갈 것 같기도 한데..'

그때 갑자기 제노의 폰에서 벨소리가 울렸다. 핸드폰을 보니 'Lee 동혁'이라고 적혀있었다.

"여보세요."

"뭐야. 바로 받았네. 쪽지 봤냐?"

"어. 지금 밥 먹고 있어."

"아 맛있냐? 나 되게 정성을 많이 담았는데"

"어, 맛있어. 그러니까 나 밥 좀 먹게 끊어주면 안 되냐."

"아 내가 해준 밥이 그렇게 맛있었어? 네 마음 알겠다. 맛있게 먹고 가서 입학신청서 잘 써서 내라."

"알겠어 걱정 말아. 나 그런 거 잘해."

"뭐 어쨌든 잘 다녀와라."

"어."

제노는 동혁이와의 전화를 끊고 남은 밥을 모조리 다 먹었다. 그리고 방으로 가 나갈 준비를 시작했다. 준비를 끝마치고 거울을 보니 18살의 풋풋함이 있는 것 같았다. 그렇게 제노는 집을 나섰다. 제노는 노래를 들으며 걸으니 5분 만에 학교 교문 앞에 도착했다. 제노는 신발을 툭툭 털고 교무실 문을 두드렸다.

"네. 들어오세요~"

제노는 허락이 떨어지자마자 교무실 문을 벌컥 열었다. 문을 열자마자 어떤 남자 선생님과 눈이 마주쳤다.

"아 어쩐 일로 오셨어요?"

"저 이 학교 입학하려고 왔는데 어떻게 해야 할까요?"

"부모님과 안 오고 혼자 온 거에요?"

"네네"

"아 그럼 이거 쓰고 가지고 와주세요."

선생님은 볼펜 하나와 종이를 주셨다. 제노는 출생 연도, 이름, 성별 등을 꾹꾹 눌러 써서 선생님께 냈다. 선생님은 그 종이를 확인하고 입을 열었다.

"지금은 수업 시작해서 반으로 가기엔 그래서 내일부터 등교하면 되고 제노 학생 반은 1학년 2반이에요. 이제 가셔도 돼요."

"네 감사합니다!"

제노는 감사 인사를 하고 교무실에서 나와 생각을 해보았다.

'사라가 1학년 2반 아닌가..'

제노는 사라가 1학년 2반이 맞는지 물어보고 싶었지만 사라는 수업 중이라서 그냥 내일 사라와 같은 반인지 보자라는 판결을 내렸다. 그 후 제노는 바로 집에 들어가서 집 청소를 시작했다. 설거지하기, 빨래 널고 개기, 청소기 돌리기, 이불 개기 등을 했다. 물건도 치우려 했지만 자신의 집이 아니라 건드리기가 좀 그래서 냅뒀다. 그 후에 집을 둘러보니 조금이라도 깨끗해진 게 보여서 뿌듯했다. 제노는 바로 소파에 몸을 던졌다. 제노는 청소 때문에 지쳐서 눈이 슬슬 감겼다.

"야 이제노! 일어나."

눈을 떠보니 앞에 동혁이가 있었다.

"뭐야. 나 잤냐?"

"너 지금까지 잤어. 시간을 봐봐."

핸드폰을 켜서 시간을 보니 7시라고 쓰여 있었다.

"벌써 7시네. 시간이 언제 이렇게 지났지."

"그런 생각할 시간에 와서 밥이나 먹어."

"오 밥도 차렸어? 역시 동혁이네."

"어 참나. 밥이나 드세요."

제노와 동혁이는 밥을 맛있게 먹고 이야기를 시작했다.

"아 그래서 입학신청서는 잘 써서 냈고?"

"잘 써서 냈다. 내일부터 등교야."

"교복은."

"아 교복은 그러게..? 어떡하냐."

"아니 그거 요즘 학교에서 대여 해주지 않냐. 나중에 돈 낼 수도 있다던 것 같은데."

"어 그래? 그럼 뭐 내일 학교 가서 교복 받아야겠다."

"그러던지."

제노와 동혁이는 오늘 일어난 일에 대해 얘기하다가 졸려서 제노가 먼저 잔다고 얘기를 꺼냈다. 동혁이는 그러라며 대충 말하고 방에 속 들어가 버렸다. 제노는 너무 졸려서 동혁이가 들어가고 난 후 바로 다른 방에 들어가 누워서 잤다.

"야 이제노 이제 일어나! 7시야."

제노는 일어나 창밖을 보았다. 해가 뜨고 있는 걸 보고 어딘가 이상해서 핸드폰을 켜 보았다. 위에 엄청 크게 6시 30분이라고 쓰여 있었다.

"아니 야 6시 30분이잖아!!"

"그걸 알았네. 빨리 준비해. 너 못 일어날까 봐 지금 깨운 거야. 고마워 해."

"아 진짜.. 아빠도 아니면서 이런 건 쓸데없이 잘해."

"ㅋㅋ 빨리 일어나 그냥 이제노."

제노는 졸리지만 첫날부터 지각하면 안 되기 때문에 일어나 준비를 했다. 준비를 다 끝마치니 동혁이와 시간이 같았다.

"야 같이 나갈래? 데려다줄까?"

"됐다. 그냥 걸어갈 거야."

제노는 데려다준다는 동혁이를 뒤로하고 먼저 밖으로 나왔다. 아침에만 맡을 수 있는 그 상쾌한 공기를 느끼며 걸었다. 고등학교를 다닐 때 느낌이 들어서 기분이 좋았다. 그렇게 계속 걷다 보니 학교 정문 앞에 도착했다. 제노는 심호흡하고 학교로 들어갔다.

걷다가 교무실로 들어갔다.

"어쩐 일로 오셨나요?"

"아 저 어제 입학신청서 낸 사람인데 혹시 교복 대여 해주나요?"

"네네! 요즘엔 교복 대여도 해줘요. 교복 드릴까요?"

"네네. 교복 주세요."

제노는 교복을 받고 탈의실에 들어가 옷을 갈아입었다. 탈의실 안에 있는 거울에 비친 모습을 보니 고등학생으로 돌아왔다는 생각이 더 확실하게 들었다. 제노는 교복이 맞는지, 앉거나 뛰었을 때 편한지를 확인했다. 제노는 확인을 다 끝마쳐서 탈의실에서 나와 교무실로 향했다.

"교복 잘 맞아요?"

"네네. 잘 맞아요."

"그럼 이제 이 교복 입고 등교하면 되고, 제노 학생이 생활할 교실로 안내해 드릴게요."

제노는 선생님을 따라갔다.

"여기에서 잠시 기다리면 들어오라고 하실 거예요."

"네."

선생님이 제노를 데리고 와서 멈춘 곳은 1-2반 앞이었다. 1-2반 안에서는 사람들 모두가 웅성웅성거리다가 선생님이 전학생이 온다고 얘기를 했는지 환호성이 들렸다. 그 후 앞문이 열렸다.

"들어와."

어떤 예쁜 선생님께서 나와 날 1-2반 안으로 들여보냈다. 제노가 들어오니 친구들 모두가 환호성을 질렀다.

"자 이번에 새로 전학을 온 친구예요. 친구들한테 인사해."

"어.. 안녕! 나는 이제노라고 해. 잘 지내보자!!"

"와아아"

제노가 자기소개를 끝마치니 선생님께서 자리를 알려주셨다. 선생님이 알려주신 자리로 가니 사라의 옆자리였다.

"안녕, 제노야! 난 사라라고 해."

"어 안녕! 잘 지내보자."

제노는 사라와 같은 반인 것도 좋은데 심지어 짝도 되어서 기분이 좋았다. 하지만 사라는 제노를 지금 처음 본 입장이어서 신난 기분은 살짝 감췄다.

"제노야. 1교시는 국어니까 국어책 펴."

"엇 나 책이 없는데.."

제노는 손을 들고 선생님께 물어봤다.

"저 책이 없는데 어떻게.."

"아 제노 교과서는 내일 온다 그랬으니까 오늘은 사라랑 책 같이 봐. 사라야 괜찮니?"

"네네!"

사라는 선생님께 대답을 한 후 교과서를 제노 쪽으로 살짝 밀었다.

"선생님이 같이 보라고 하셔서."

"아 응! 고마워."

제노는 자신의 딸이 예의 바른 태도라 뿌듯했지만 이번에도 고맙다는 말 외에는 티를 안 냈다.

"안녕! 난 지훈이야 반가워!"

"난 지예라고 해. 잘 지내보자!"

"너 진짜 잘생겼다.. 진짜 부럽다."

1교시가 끝나니 제노의 자리로 몰려들었다.

"아 고마워! 잘 지내자."

제노는 잘 지내보자는 말과 함께 잘생겼다는 말을 듣고 기분이 좋아서 대답을 환하게 해주었다.

"근데 제노야."

사라가 말을 걸어왔다.

"왜??"

"너 우리 아빠랑 이름도 똑같고 얼굴도 우리 아빠 어렸을 때랑 비슷한 것 같아."

"아 그래? 되게 신기하다."

제노는 사라가 눈치를 챈 줄 알고 놀랐다가 그냥 확신이 없는 말이라 안심했다. 그 후 사라는 제노가 짝꿍이라는 이유로 더 잘 챙겨주었다.

"제노야 이리 와서 같이 밥 먹자!"

"이거 책 같이 보자."

그렇게 학교생활을 거의 끝마쳤다.

"제노야 오늘 학교생활은 괜찮았니?"

"넵. 친구들이 잘 챙겨줘서 편했어요."

"사라는 괜찮니?"

"네! 되게 잘 맞아서 좋았어요!"

"그래 그럼 이제 하교합니다. 수업 끝! 다들 잘 가."

"네~"

"제노야 넌 학교 끝나고 어디가?"

"나? 집에 가려고 왜?"

"아 넌 학원 안 다니는구나."

"응응. 왜?"

"그냥 궁금해서 물어봤어. 나 전화번호 좀 알려줄 수 있을까?"

"아 응!"

제노는 태블릿에 저장되어 있는 다른 전화번호를 알려줬다.

"고마워. 난 학원 갈게 집 잘 가!"

"응! 너도 공부 열심히 해 파이팅!"

제노는 사라와 헤어지고 집으로 향했다.

"어 안녕하세요!"

그전에 만났던 할머니께서 편의점 앞에 계셨다.

"어 그 청년 아니여? 학교 다녀온 거여?"

"네네."

"아이구~ㅎㅎ 어여 들어가."

"넹!"

제노는 할머니와의 짧은 소통을 끝마치고 집으로 들어갔다. 집으로 들어간 제노는 곧바로 씻으러 들어갔다. 씻고 나와 소파에 앉아 동혁이를 기다리고 있었다. 그때 전화벨 소리가 울려서 보니 서아에게 전화가 왔다.

"여보세요~"

"거긴 어때? 일은 잘 되어가?"

"어. 걱정하지 말고 자기 일에 더 집중하세요옹."

"치 알겠어. 끊어요."

"어."

서아와의 전화를 끊으니 몇 분 후에 곧바로 동혁이가 들어왔다.

"이제노 학교 잘 다녀왔냐?"

"당연한 걸 물어보냐. 이제노가 누군데."

"에후.. 그래 잘했다. 오늘 얘기 좀 해봐."

"아니 있잖아. 반 배정이 사라랑 같은 반이 됐거든? 사라가 사람을 진짜 잘 챙겨줘. 너무 기특해."

"그치. 사라가 많이 착하긴 하지. 활발하고."

이러면서 제노와 동혁이는 오늘의 이야기를 하다가 잠이 들었다. 그 후 제노는 학교생활을 할 때마다 사라와 같이 붙어 다녔다. 그렇게 학교생활을 한지 7일이 지났다. 주말인데도 사라에게 전화가 왔다.

"여보세요?"

"엇 제노야. 혹시 우리 학교 준비물이 뭐였는지 기억이 안 나서."

"아 준비물 유채 물감이었어."

"아 고마워!"

제노는 그렇게 말을 하고 거실로 나왔다. 동혁이는 아직 자고 있었다. 제노는 오랜만에 요리 실력을 뽐내려고 아침을 준비했다. 아침 메뉴는 동혁이가 좋아하는 김치찌개였다.

"야 이동혁 밥 먹어!"

"아으, 기다려.."

동혁이는 투정을 살짝 부리고 일어나서 아침을 먹었다.

"괜찮아? 간은 맞아?"

"어. 진심 너무 맛있어."

"야 먹고 준비해."

"왜. 어디 가려고?"

"좀 놀러 가자. 심심해."

동혁이는 아침을 든든하게 먹고 준비를 끝마쳤다. 제노는 동혁이를 끌고 시장에 왔다.

"웬 시장?"

"그냥ㅎㅎ 장날이래. 구경 좀 하게."

제노와 동혁이는 장 구경을 하고 먹을 것들도 사와 집에 들어왔다. 집에 들어와 한 시간이 지나니 사라에게 전화가 왔다.

"아빠! 잘 지내고 있어?"

"어~ 잘 지내고 있지."

사라는 신났는지 우리 반에 온 전학생이 있는데 아빠 어릴 때랑 닮았다는 말도 했다. 제노는 들키지 않게 호응을 해주고 무사히 통화를 끊었다.

제노는 그다음 날 또 그다음 날도 사라와 함께 보냈다. 평일엔 학교에서 같이 다니고, 주말엔 시간 될 때마다 만나 밥도 먹고 영화도 보며 시간을 보냈다.

그렇게 주말이 지나고 평일이 지나고를 계속 반복하는 사이, 제노는 몸이 안 바뀔까 걱정했다. 그러다 맨날 똑같은 일상이라 제노가 심심해서 혼자 산책하러 나왔다. 돌아다니다가 또 할머니를 만났다.

"청년! 이리로 와 봐."

할머니께서 먼저 말을 걸으셨다.

"무슨 일이세요?"

"이거 선물이여. 많이 만나니 정도 들었고 너한테 필요한 거라 준 거니까 집 가서 열어봐."

"네! 감사합니다!"

제노는 곧장 집으로 달려가 할머니가 주신 선물을 까보았다.

"엇..? 이건 그 버튼이다!"

제노는 신이나 얼굴이 환해졌다. 학생의 생활도 재미는 있었지만 원래의 모습으로 돌아갔으면 좋겠어서 그 버튼을 바로 눌렀다. 그리고 그때와 똑같이 집에 바로 들어가 낮잠을 잤다. 2시간 정도가 지난 후에 제노는 일어나 곧바로 화장실로 달려갔다. 화장실 거울을 통해 얼굴을 보니 아빠의 모습으로 돌아왔다.

"우와!! 드디어 돌아왔다!!"

동혁이는 화장실에서 큰 소리가 들려 달려가 바뀐 제노의 모습을 봤다.

"지금 바뀐 거야? 대박 축하해 이제노. 이제 아빠로 돌아가자!"

"다행이다.. 내일 학교 가서 얘기해야겠다.."

"그래그래. 너 아버지로 볼 거야. 이때까지 수고했다."

제노는 너무 행복해서 동혁이를 껴안았다. 동혁이는 수고한 제노를 안아주었다. 그리고 제노에게 동혁이가 말했다.

"제노야 너 정신 차려. 지금 10시다? 자자."

제노는 자러 가는 동혁이를 보내고 혼자 실컷 좋아하고 잠에 들었다.

"제노야 일어나."

동혁이가 깨워서 눈을 뜨니 아침 7시였다. 제노는 원래의 삶으로 돌아가는 게 너무 신나서 평소보다 더 빨리 준비를 끝마치고 집을 나섰다. 학교까지 걸어가며 사라에게 전화를 걸었다.

"사라야, 아빠 출장 끝나서 오후쯤에 도착할 거 같으니까 엄마한테도 말해놔."

"알겠어요~ 조심히 와요."

사라와 전화를 하며 가니 학교 정문 앞에 도착했다.

"어~ 이제 끊어!"

"넹."

제노는 바로 교무실로 들어갔다.

"어쩐 일로 오셨나요?"

"아 저 제노 아빠인데 저희 제노가 유학을 가서 이제 더 이상 학교를 못 다닐 것 같아서요.."

"제노 학생 출생 연도만 말해주실 수 있으실까요?"

"아 07년 4월 23일생이요."

"접수되셨어요. 제노 학생은 이제 안 나와도 됩니다."

"네 감사합니다."

제노는 말을 끝내고 교무실에서 나왔다. 오니 속이 후련하기도 했지만 한편으로 아쉽기도 했다. 그 후 바로 동혁이의 집으로 갔다.

"잘 다녀왔어?"

집에 들어서자마자 반겨주는 건 동혁이의 목소리였다.

“어. 성공적. 그동안 고마웠다. 나중에 밥 사줄게. 먹고 싶을 때 전화해.”

“알겠다. 이제 짐 싸.”

“근데 너 오늘 회사 안 가?”

“아 오늘은 회사에서 주는 휴일임. 걱정 말아.”

“허.. 그래.”

제노는 동혁이와 얘기하며 가지고 온 짐들을 다 쌌다.

“바로 가?”

“어. 우리 집이 너무 그리워서 바로 갈 거야. 그동안 고생했다. 밥 진짜 사줄 테니까 전화해.”

“어 너도 고생했다. 잘 가.”

제노는 짐들을 다 챙겨 동혁이 집에서 나왔다. 그리고 곧바로 자신의 집으로 향했다. 제노가 자신의 집에 도착했을 때가 4시였다. 그래서 ‘짐 정리를 하고 기다리면 서아랑 사라가 오겠구나’라고 생각을 하고 짐 정리를 끝내고 기다리고 있었다. 비밀번호를 치는 소리가 들려 현관문으로 달려갔다. 현관문이 열리니 서아와 사라가 함께 있었다. 둘 다 제노를 보고 바로 안겼다.

“아이구 둘 다 잘 지냈어?”

“웅! 아빠 없을 때 조금 허전했는데 그래도 잘 지냈어.”

제노는 서아와 사라랑 오랜만에 인사를 나누고 그날엔 모두 모여 있었다. 그 후 제노는 동혁이와 연락을 이어가며 그 전처럼 서아, 사라와 행복하게 지냈다.

추억 다섯. 제가 시한부라뇨??

베리

이 이야기는 내가 23살, 몸이 큰 태준이 오빠가 24살일 때 있던 내 생애 가장 혼란스럽고 힘들었던, 한편으로는 행복했던 때의 이야기다.

한 연주회를 앞두고 있던 어느 날...

"베토벤 한 번만 하고 30분 쉬자!"

지휘자가 말했다. 나는 이 노래의 독무기 때문에 앞으로 나갔다. 내가 나가려고 하자 태준이가 말했다.

"잘 다녀와."

"알겠어 오빠. 오빠도 잘해!"

대답을 하고 지휘자 손짓 한 번으로 음악은 시작했다.

"미라시......"

끝! 조금 쉬다 다시 시작하기로 했다. 오늘 간식은 닭강정이었다. 이 닭강정은 매일매일 먹어도 질리지 않을 맛으로 소식자인 나도

1개는 꼭 다 먹었다. 이번에도 태준이 오빠랑 옆에 앉아서 핸드폰을 보며 닭강정을 먹었다. 마지막으로 얼른 양치를 했다.

"어? 내 칫솔이 어디 있지?"

태준이 오빠가 칫솔을 찾고 있었다.

"사라야! 내가 칫솔을 안 가져왔나 봐! 너 여분 칫솔 있니?"

"어. 나 있어 오빠! 오빠 저번에는 볼펜 놓고 오더니 오늘은 칫솔이야?ㅋㅋ"

나는 말을 하며 오빠에게 내 여분 칫솔을 건네주었다.

"얼른 양치하고 가자."

나와 오빠는 양치를 마치고 합주실로 다시 들어갔다. 클라리넷 언니에게 지휘자 선생님이 급한 일이 생겨서 먼저 갔다는 말을 듣게 되었다. 그 김에 나도 먼저 나와서 국가건강검진 결과를 들으러 가기로 했다. 따라오겠다는 태준이 오빠를 애써 달래고 나왔기 때문에 기진맥진한 상태였다. 서둘러 병원에 도착을 하고 접수를 했다.

"임사라님 진료실로 들어오세요."

"사라씨. 저번에 찍은 CT 오늘 한 번 더 찍고 다시 진료실로 오세요."

의사선생님이 말했다. 여태까지 CT를 한 번 더 찍은 적이 없어서 걱정되었다. 간호사는 잔뜩 굳은 나를 보고 나를 안심시켰다.

"괜찮을 거예요. 그냥 확인차 해보는 거니까.."

재검사가 끝나고 의사 소견을 받으러 갔다. 들어가기 전 심호흡을 한번 하고 들어갔다. 아까 CT 찍은 게 많이 걱정이 된다. 들어가

보니 꽤나 무거운 분위기였다.

'아 내 몸에 무슨 이상이 있구나…"

"음.. 임사라씨는 앞으로 얼마 못 살 것 같습니다."

"네??"

"자궁암 말기이신 것 같습니다. 치료를 하시고 싶으시다면 하셔도 됩니다. 하지만 하셔도 가망은 없을 것 같습니다만, 어떻게 하시겠습니까?"

"혹시 집에 가서 생각해 보고 결정해도 될까요?"

"그럼요. 된답니다."

말을 끝으로 의사 소견은 끝이 났다. 나는 정신이 멍해 있어서 내가 어떻게 집에 왔는지도 모르겠다. 일단 남은 날이라도 살기 위해 간단히 라면을 끓였다. 잠깐 멍해 있던 동안 물이 끓어 넘쳤다. 나는 다급히 불을 껐다. 머릿속에서 자궁암 말기라는 것 밖에 생각이 안 나서 다른 일을 할 수 없었다. 그냥 온 세상이 무너진 것 같았다.

'난 앞으로 어떻게 살아가야 할까?'

'4개월 안에 모든 걸 다 할 수 있을까?'

'수술을 하면 앞으로 태준이 오빠를 못 만나겠지.'

모든 불안한 생각이 머릿속에 떠올라 다른 일은 눈에 들어오지 않았다.

"오늘은 일찍 자자."

오늘은 일찍 자고 내일 마저 생각해 보기로 했다. 양치를 하다 보니 오늘 낮에의 일이 떠올랐다. 앞으로는 태준이 오빠를 만나지도, 평범한 일상을 즐기지도 못할 거라는 생각을 하니 눈물이 뚝뚝 떨어졌다. 아무리 그만 울려고 해도 계속 울음이 터져 나와서 얼른 자러 안방으로 들어갔다 자러 누워도 다른 생각이 계속 떠올라 밤을 설칠 수밖에 없었다. 다행히 오늘은 별다른 스케줄이 없어서 수면 유도약을 먹고 더 자기로 했다.

"아... 5시간은 잤네"

11시에 일어난 나는 핸드폰의 알림을 확인했다.

'태준이 오빠 부재중 5통'

"오늘은 오케스트라 연습도 없는 날인데 왜 전화했지?"

나는 한참을 고민하다 답을 찾아냈다.

'아, 오늘 태준이 오빠랑 놀다가 밥 먹으러 가기로 약속했지...'

나는 얼른 오빠에게 전화를 걸었다. 오빠는 내 전화를 기다리고 있었는지 바로 받았다.

"오빠! 미안해. 오늘 늦잠을 자서 오빠 전화를 못 받았어. 어디야? 바로 나갈게!"

"어? 어제 무슨 일 있었어? 네가 웬일로 늦잠을 자고?"

"아 그냥 어제 건강검진에 대한 의사 소견 중 마음에 걸리는 게 있어서 좀 늦게 잤어. 별 문제 아니니 걱정 안 해도 돼."

"그래? 무슨 일 있는 거 아니지? 막 암이라던가."

오빠는 무심코 던진 혼잣말이겠지만 나는 찔려서 아무 말을 할 수 없었다. 그리고 오빠의 말 뿐만 아니라 오빠의 목소리에도 걱정이 묻어나 괜스레 미안해졌다.

"응 괜찮아. 걱정해 줘서 고마워! 그리고 오빠 어디야? 내가 그 쪽으로 갈게."

"그럼 패밀리 레스토랑으로 와. 내가 점심 예약 해 놨어. 12시에 들어가니까 급하게 하지 말고 천천히 나와도 돼."

"알겠어."

오빠가 천천히 나오라고 하긴 했지만 급한 마음 때문에 얼른 옷을 갈아입고 집을 나섰다. 패밀리 레스토랑까지 뛰어오니 숨이 찼다. 저 멀리에 오빠가 보였다.

"태준이 오빠!"

말하고 보니 오빠 옆에 2명의 여자가 서 있었다.

'뭐지? 번호 따가는 건가?'

나는 바로 오빠에게 뛰어갔다. 가보니 아까 그 사람들은 어디 갔는지 없어졌다.

"오빠 아까 그 사람들은 누구야? 번호 따간거야?"

"어? 아니. 달라고 하셨는데 내가 여친 있다고 안 드렸어."

"어... 어? 오빠 여친 있어? 누구?"

"아니. 없어. 여친... 그냥 번호 주기 싫어서 거짓말한 거야."

"알겠어. 12신데 이제 들어가자."

"그래."

오빠와 나는 패밀리 레스토랑 안으로 들어갔다. 예약해 둔 자리에 앉고 메뉴를 정했다.

"오빠, 오빤 뭐 먹을래? 나는 크림파스타 먹게."

"음... 그럼 나는 스테이크하고 서로 나눠 먹자."

"그래!"

"저기요! 저희 주문할게요! 크림 파스타 1개랑 안심 스테이크

하나 주세요."

"네. 그럼 식전 빵과 스프 먼저 드리겠습니다."

종업원이 식탁 위에 올려놓는 빵과 양송이 스프는 정말 맛있어 보였다. 우리는 앞접시를 이용해 서로의 음식을 나누었다. 그리고 맛있게 먹으며 오빠와 여러 가지 대화를 나누었다. 밥을 다 먹고 어디를 갈지 정하며 밥을 먹었다.

"오빠. 밥 다 먹고 어디 갈지 정해놓은 거 있어?"

"아니 따로 없어. 너 가고 싶은데 가자."

"음... 나도 따로 가고 싶은 곳은 없는데? 아! 방탈출 카페는 안 가봐서 가보고 싶긴 한데 그래도 이 근처에 갈만한데 인터넷에 검색해 봐야겠다."

서로 검색해 보며 갈만한 곳을 얘기를 나눠봤지만 밥을 다 먹었음에도 불구하고 정해지지가 않아서 처음 의견이 나왔던 방탈출 카페를 가기로 했다.

"오빠 이 방탈출 카페 걸어서 20분이래. 자전거 타고 갈까? 소화도 시킬 겸."

"그래! 그럼 따릉이 타러 가자. 따릉이 이 근방에 있는 걸로 알고 있어."

"그래!"

오빠와 나는 따릉이를 찾으러 가는 사이에도 오케스트라에 대한 얘기를 멈추지 않았다. 따릉이를 타고 방탈출 카페가 있는 곳에 도착했다. 자전거를 타니 10분도 채 걸리지 않았다.

"오빠! 이 건물 3층이래! 얼른 들어가자!"

처음 가보는 방탈출 카페에 나는 흥분된 마음을 가라앉히지 못하고 계속 떠들어댔다. 들어가 보니 두 개의 장르가 있었다. 호러와 힐링. 나는 무서운 걸 싫어해서 힐링으로 가고 싶었다. 오빠도 힐링으로 가고 싶어 해서 돈을 지불하고 안으로 들어갔다. 안에는 하얀색의 아주 작은 공간이었다. 바로 앞에 있는 문을 열자 한 TV와 표가 나와 있었다. 오빠와 같이 협동해서 첫 번째 문제를 깨고 다음 방으로 넘어갔다. 이번에는 한 사람이 버튼을 누르면 그 뒤에 있는 전광판으로 숫자가 나오는 형식이었다. 이번 방도 쉽게 깼다. 계속 하다 보니 어느새 마지막 방으로 온 것 같았다. 퍼즐을 맞추자 어디서 문 열리는 소리가 나서 주변을 살펴보니 퍼즐 밑 서랍의 문이 열려 있었다. 웅크려서 겨우 들어갔다. 뒤돌아서 틈 사이로 오빠가 빠져나오는 모습을 보니...

"ㅋㅋㅋㅋ"

멀대 같이 큰 사람이 조그마한 구멍에 욱여넣어져 있으니 웃음을 멈출 수가 없었다.

"아 그만 웃어!"

오빠는 부끄러웠는지 귀가 엄청 빨개지며 소리쳤다. 나는 눈물을 글썽거리며 한참을 웃었다. 오빠는 나의 입을 막고 급하게 건물을 나왔다. 건물을 나오니 겨우 진정이 돼 있었다. 진정을 하고 하늘을 보니 노을이 지고 있었다. 시계를 보니 벌써 7시였다.

"오빠 나 이제 집에 가볼게. 체력 방전됐어."

"어? 저녁 안 먹고 가게?"

"엉. 오늘 생각해야 할 것도 많고 지치기도 해서."

"그래. 그럼 내일 오케스트라에서 보자."

"아. 맞자. 나 내일 오케스트라도 못 가. 어디를 좀 가야 돼서 모레쯤에 갈 수 있을 거야. 지휘자 선생님께 말씀은 드려놨어."

"어딜 가길래 네가 좋아하는 오케스트라도 안 가? 아까 전에도 늦잠 자더니, 별일 아니래서 그냥 있었는데 진짜 무슨 일 있어?"

"아니야. 나중에 알려줄게 나중에.."

'이렇게 말하면 거짓말은 아니니...'

"알겠어 그럼 나중에 꼭 알려줘? 오빠가 걱정돼서 그래."

"응."

"그럼 집에 가서 푹 쉬어!"

"응!"

오빠와 나의 집이 반대편이기 때문에 내 집까지 데려다주려던 오빠를 겨우겨우 달래고 집으로 들어왔다. 내일까지 병원에 수술을 할지 안 할지를 연락드려야 하기 때문에 얼른 정하기로 했다. 노트북을 켜고 메모장을 켰다. 수술하게 된다면 생길 일과 같은 모든 경우의 수를 생각하며 썼더니 한 페이지가 꽉 차 있었다. 그리고 계속 고민을 하다가 드디어 결정을 내렸다. 수술을 받지 않기로 했다. 수술을 받아도 살 확률이 적다면 내가 하고 싶던 것을 4개월 동안 실컷 하고 후회 없이 가는 것이 더 옳다고 생각이 들었기 때문이다.

오늘은 일찍 고민을 해결했으니 밥을 먹어야겠다는 생각이 들었다. 오늘도 간단하게 라면을 먹으려다 그냥 떡볶이를 시켰다. 떡볶이가 와서 TV를 켜고 거실에 앉아서 먹다 보니 문득 그런 생각이 들었다.

'내가 하고 싶었던 것을 하면 오빠에게 고백하는 것도 포함인데. 안 받으면 괜찮지만 받으면...'

'내가 시한부라는 것을 말을 해야 하나? 하면 오빠에게 부담을 주는 것 같고 말을 안 하면 내가 죽었을 때 오빠가 속상해하지 않을까?'

아무래도 김칫국을 마시는 것 같았지만 그만큼 중요한 문제였다. 내가 좋아하는 사람에게는 더욱...

나는 결심했다. 살아있는 동안은 오빠에게 어떤 부담도 주지 않을 거라고... 이 생각을 끝으로 생각을 멈추고 밥을 마저 먹었다. 밥을 맛있게 다 먹고 양치를 하고 자러 들어갔다. 오늘은 그나마 생각이 많이 정리돼서 누운 뒤 금방 잠들 수 있었다.

다음날에 일어나니 목이 조금 아팠다. 어제 잠을 잘 못 잤나 보다 생각하고 아침으로 시리얼을 먹었다. 다른 음식을 할 시간이 없어서 시리얼을 먹었지만 그조차도 시간이 부족해 급하게 먹고 갔다.

저번에 암 진단을 받은 병원에 나의 선택을 말씀드리고 주의 사항을 들으러 빨리 출발했다. 사람이 많은 병원이기에 8시에 출발했지만 10시에 도착, 1시까지 병원에 있다 겨우 상담을 할 수 있었다.

의사 선생님께 나의 선택을 말씀드렸다.

"선생님. 저는 수술을 받지 않겠습니다."

"알겠습니다. 그럼 앞으로 1달에 1번 총 4번을 검사받으러 오세요."

"네."

아주 간단하게 끝난 상담을 뒤로 하고 빵집으로 갔다. 점심시간이 지나 허기졌기 때문이다. 빵으로 점심식사를 해결하고 집에 도착하니 4시가 되어있었다.

4개월 동안 하고 싶은 것을 생각하니 가장 먼저 오빠에게 고백하는 게 떠올랐다. 쇠뿔도 단김에 빼기 위해 나는 오늘 오빠에게 고백해야겠다고 결심했다. 오빠에게 오케스트라 잘 끝났냐고 묻기 위해 전화를 걸었다. 오빠는 내 연락을 기다렸는지 바로 연결이 됐다.

"응. 오늘 잘 끝났어."

"오빠 나 할 말이 있는데."

"응 뭔데?"

나는 떨리는 손으로 오빠에게 고백했다.

"나 오빠 좋아하는데 나랑 사귈래?"

오빠는 한참 답이 없었다.

'역시 받아주지 않겠지...'

하지만 오빠에게 의외의 대답이 나왔다.

"그래."

나는 신나서 흥분을 가라앉히지 못했다.

"근데 오빠. 우리 비밀연애로 해도 돼?"

"응. 어차피 다른 사람들에게 알려져봤자 좋을 거 하나도 없어."

"응!"

나는 오늘도 떨리는 마음에 잠을 제대로 못 잤다.

나는 아침에 오빠에게 메시지를 보냈다.

'오빠 잘 잤어?'

답이 안 왔다.

'바쁘거나 자고 있나 보다.'

이따 오케스트라 가려면 얼른 준비해야 했다. 얼른 옷을 입고 양치를 하고 악기, 악보를 챙기고 나갔다.

"아! 깜짝아!"

문을 열자 눈앞에는 태준이 오빠가 보였다.

"오빠! 왜 여기 있어..?"

"응? 내 여친 기다렸지^^"

"?... 여친?"

"아니야? 어제부터 1일이었으니... 오늘은 2일이네?"

".....하.... 알겠어. 근데 비밀연애니까 오케스트라에선 이러지 마!"

"알겠어."

그래도 오빠도 공개 연애를 좋아하지 않는 편이라서 다행이었다. 오빠와 나는 오케스트라 합주장으로 걸어가며 많은 얘기를 나누었다.

"오빠, 오빠는 나 왜 좋아해?"

나는 고백하자마자 받아준 오빠에게 궁금증이 생기기 시작했다.

"음..... 내가 왜 알려줘야 해?ㅋㅋ"

"아니 그러지 말고 좀 알려줘!"

"알겠어. 내가 너랑 같은 학교 다닐 때? 그때 장기자랑 했었잖아. 너 플룻 부는 거 보고 첫눈에 반했을걸? 딱히 별다른 이윤 없어."

"그럼 그때가 6학년이니까... 거의 10년 동안 좋아한 거야? 그럼 플룻도 나보고 따라 분 거야?"

"응. 나는 말했으니 너도 말해줘. 나 왜 좋아하는지."

"음.. 나도 한 8년? 될걸? 내가 괴롭힘을 당했을 때 오빠가 도와줬잖아. 그때 처음 반했어."

"아, 그때구나. 그럼 내가 더 오래됐네?ㅋㅋ"

"근데 오빠, 오빠는 나 먼저 좋아했으면서 왜 좋아하는 티 안 냈어?"

"응? 아 그때 내가 좀 장난꾸러기였잖아. 중학교 때도 좀 날라리였고. 너 학업에 피해되기 싫어서 좋아하는 티 안 냈는데?"

"그래?... 오빠 합주장에 다 왔으니까 이제 사귀는 티 내지 마!"

"물론, 우리 사라 씨가 원하신다면^^"

"윽, 닭살 돋아!"

오빠는 그래도 합주장 안에서는 평소와 똑같이 행동했다. 오케스트라 합주가 끝나고 오빠와 나는 카페에서 놀다 가기로 했다.

나는 아직 커피에 적응을 못해서 바닐라 라떼를 시키고 오빠는 아이스 아메리카노를 시켰다. 아이스 아메리카노여서 그런지 오빠와 내가 시킨 게 일찍 나왔다.

"오빠 나 오빠 아아 마셔봐도 돼?"

"그래 먹어봐. 쓰다고 뱉지 말고."

"응."

나는 오빠의 아아를 조금 아셨다.

"윽, 써!"

“뱉지 말고 삼켜! 아니면 화장실 가서 뱉어.”

“아니야. 그냥 삼켰어. 오빤 이걸 어떻게 마시는 거야?”

나는 급하게 내 바닐라 라떼를 마셨다. 쓴 거 다음에 단 게 들어가니 조금 살 것 같았다.

“근데 전부터 생각하는 건데 이게 그렇게 써? 난 잘 못 느끼겠던데 아직 사라는 애기 입맛이네.”

오빠는 한참 동안 나를 애기 입맛이라며 놀렸다. 결국 내가 삐진 척하며 집에 가니 오빠는 나에게 메시지를 보냈다.

‘미안해. 많이 삐졌어? 기분 풀어. 앞으론 안 놀릴게. 미안.’

오빠가 메시지를 보니 삐지지도 않았던 마음이 풀렸다.

‘응! 어차피 진짜 삐진 거 아니었어ㅋㅋ’

‘어이없네.’

오빠도 장난식으로 받아줬다.

'오빠 나 오늘 피곤해서 잘게. 내일 봐!'

'응. 사라야 내일 보자!'

이 메시지를 끝으로 나는 금방 잠에 들었다.

2개월 동안 나는 평소와 다름없이 평범하게 지냈다. 나는 오늘 3번째로 병원을 가는 날이다. 1, 2번째 때는 종양이 많이 커지지 않아서 평범하게 지나갔다.

"똑똑"

나는 의사 선생님의 진료실에 노크를 하고 들어갔다.

"네 들어오세요 사라씨. 오늘은 MRI랑 CT 찍도록 할게요. 먼저 MRI 찍으러 가시면 됩니다."

"네."

나는 MRI실로 들어가서 누웠다.

"시작할게요."

나는 눈을 감고 가만히 있었다.

"끝났습니다."

나는 일어나 문을 열고 나갔다. CT실로 가서 얼른 CT를 찍고 다시 진료실로 갔다.

"어... 사라씨 종양이 작아졌어요. 1.5배 정도.... 이 상태라면 살 가능성이 높아집니다."

"헉 네.."

이번 한 달은 기분이 들뜨며 지나갈 수 있을 것 같았다.

"오늘은 오빠랑 놀아야지!"

오빠랑 노래방, 볼링장을 갔다. 다 놀고 집에 들어오니 11시였다.

"오늘은 이만 자야겠다."

나는 양치를 얼른 하고 누웠지만 살 가능성이 높아진다는 의사의 말이 계속 떠올라 잘 수가 없었다.

"그래도 잠은 자자."

나는 얼른 눈을 붙였다.

1달 뒤, 오늘도 병원에 가는 날이다. CT를 찍고 진료실에 들어가니 의사의 표정이 놀라있었다.

"사라씨 악성 종양인 줄 알았는데 양성 종양입니다. 수술 안 하고 약물 치료로 없앨 수 있어요!"

"네? 정말요? 저 정말 살 수 있는 건가요?"

"네. 앞으로도 1달에 1번 약물 치료하러 오시면 됩니다."

"감사합니다."

의사의 말을 들은 나는 눈물을 겨우 참으며 병원 건물 밖으로 나와 울었다. 주저앉아 우는 사람을 보니 사람들은 이상했는지 나를 힐끔힐끔 쳐다봤다. 나는 부끄러워서 얼른 눈물을 훔치고 집으로 갔다. 집에 가면서 봤던 풍경이며 새들이 다 새로워 보였다. 세수를 하러 화장실에 들어가 보니 눈이 퉁퉁 부어있었다.

"아.. 눈 붓기 빼기 힘든데..."

내가 시한부가 아니라는 것을 아니 모든 사소한 것 하나하나까지 눈에 들어오기 시작했다.

"그래! 오늘은 대청소하자!"

나는 카펫을 빨려고 세탁기에 넣고 바닥을 청소기로 밀고 2층까지 청소를 다 하니 집이 깨끗해진 게 눈에 훤히 보였다. 오늘은 마음 편히 잠을 잘 수 있을 것 같아 간단히 저녁을 먹고 잠을 잤다.

다음날 일어나보니 시한부에 대한 걱정은 사라지고, 안도감과 들뜬 기분이 마음 한켠에 이미 자리를 잡았다.

그 이후엔 어떻게 됐냐고?? 지금은 오빠랑 결혼해서 아이도 낳고 행복하게 살고 있지. 아직도 오케스트라도 다니고, 이젠 하루하루가 다 행복해!

너희도 사랑하는 사람이 있음 빨리 고백해봐! 그 사람도 너와 같은 마음을 품고 있을지도 몰라 마치 태준이 오빠와 나처럼?...

그럼 이만 난 갈게!! 안녕!!!

추억 여섯. 달콤살벌 사탕 나라와 곤충 나라

붕어빵

여느 때와 다름없이 대한민국의 모든 사람들이 잠을 자고 일어났다. 그러자 밖이 솜사탕, 사탕, 젤리 등으로 뒤덮였다. (몇몇 생활용품 빼고 거의 다) 사람들은

"이게 뭐야..?"

"우와 맛있겠다!"

"먹지 마!"

라는 등의 반응이었다. 그러자 안내 문자와 함께 뉴스가 흘러져 나왔다. 안내 문자에는

'현재 우리나라 전국만 이런 현상이 일어났습니다. 먹는 것을 꺼려하시고 몸조리 잘하세요.'

라고 써 있었다. 뉴스에선

"안녕하세요. KBB 뉴스의 김 앵커입니다. 현재 이런 현상으로 인해 과학수사대들이 흔적을 조사하고 있는데요. 아직 알려진 것이 없으니 먹는 것은 좋지 않아 보입니다. 이상 KBB 뉴스 김 앵커였

습니다."

라며 뉴스가 흘러나왔다. 사람들은 안내 문자와 뉴스로 인해 경각심을 가지고 먹지 않았다. 하지만 호기심이 많은 사람들은 참지 못하고 대한민국을 둘러싼 사탕들을 조금 떼어서 먹었다. 먹은 사람들은 아무 일이 일어나지 않는 것을 보고 사람들에게

"내가 사탕 먹어 봤는데 아무 일도 없어! 나 봐봐!!"

이러며 사람들을 꼬시기 시작했다. 그걸 들은 꽤 많은 사람들이 사탕을 먹었고 많은 유튜버들도

"이 사탕 먹었는데 아무 일도 없어요!"

라며 홍보를 하여 대부분의 사람들이 사탕을 먹었다. 그렇게 시끌벅적한 하루가 지나갔다. 다음 날 아침 뉴스가 또다시 흘러나왔다.

"안녕하세요. KBB 뉴스의 김 앵커입니다. 과학수사대의 감식 결과가 나왔습니다. 감식 결과 먹어도 된다라는 판정이 나왔습니다. 마음껏 드세요."

라며 뉴스가 끝났다. 그렇게 대한민국의 모든 사람들이 사탕을 먹었다. 그러자 모든 것을 방어하는 보호막이 한국에 쳐졌다. 그리고 뉴스에서 대통령의 아랫사람으로 보이는 사람이 하는 말이 흘러나왔다.

"방어막이 쳐진 이유는 외부에 이 상황을 알리지 말라는 위의 지시다. 이 현상은 우리나라만의 비밀이다."

라며 걸걸한 목소리가 들렸다. 즐거우면서도 무서웠던 하루가 지났다. 대한민국 사람들은 맞추기라도 한 것처럼 11시에 잠이 들었다. 다음날 일어난 사람들은 몸에 이상이 생긴 것을 느꼈다.

거울을 본 사람들은 충격에 빠졌다. 자신의 얼굴이나 몸에 곤충의 특징과 같은 뿔 또는 다리 등이 자란 것이었다!

그러자 앵커가 급한 목소리로 뉴스를 시작했다. 앵커는 무당벌레 인간이 된 것 같았다.

“지금 사탕 나라가 됐을 때 그 사탕을 먹은 사람들이 이런 곤충이 된 것 같은데요. 대한민국의 모든 사람들이 사탕을 먹었습니다. 그러므로 대한민국 모든 국민들이 곤충 인간이 된 것인데요.”

앵커의 말이 끝나기 무섭게 무당벌레의 천적인 메뚜기로 변한 사람이 나타나서 김 앵커를 잡아먹어 버리고 말았다. 뉴스 스튜디오 사람들은 “꺄~!” 비명을 지르기 시작했다. 한순간에 스튜디오는 아수라장이 되었다. 모두 도망친 뒤 메뚜기 인간은

“이제부터 진짜 곤충처럼 약육강식의 세계 시작이다.”

라고 했다. 그 뒤에 뉴스가 중단되었고 대한민국은 곤충이 잘 살 수 있는 정글과 숲으로 뒤덮인 환경으로 변하게 되었다.

“‘나 김재훈 학교에선 비록 요즘 말로 왕따지만 이젠 달라질 거야!’라고 마음을 먹은 지 1일 차인데, 하필이면 곤충 세계가 되다니.. 나를 괴롭힌 일진들은 개미 2명(마리), 1짱은 장수풍뎅이, 모기 2명(마리)인데 어떻게 이기냐고!”

라 해놓고 지금 결판을 내러 온 재훈이! 근데 일진들에게서 맛있는 냄새가 나기 시작했고 눈이 되게 좋아졌다. 사실 곤충 세계는 피식자에게 맛있는 냄새가 나는 세계로 바뀌었다.

“이게 사마귀가 되어서 그런 건가”

라며 대수롭지 않게 생각하며 싸움 자세를 취하자 일진들은 별

것 아닌 듯이 웃으며 재훈이를 상대해서 짓밟아 버릴 생각에 기분이 좋아졌다. 일진과 재훈이가 싸우기 시작하자 눈 깜짝할 새에 1짱인 김뎅풍 빼고 모두 바닥에 쓰러져 있었다. 뎅풍과 재훈이는 깜짝 놀랐다. 사마귀라도 이렇게 쎌 수 있는 건지 의문이 들었다. 그래도 이기긴 해야 하니 뎅풍이와 1대 1을 뜨기로 했다. 둘 다 날 수 있으니 공중전을 하려고 했지만 뎅풍이는 나는 법을 익히다 못해 하늘에서 기술도 부릴 줄 알았다. 그에 비해 재훈이는 나는 법을 알지도 못하고 날아본 적도 없었다. 그래서 이번 판은 박빙일 것 같았다.

재훈이가 날기 시작하는데 사방팔방 이리저리 막 휘청거리며

날아다녔다. 그러다 중심을 잡고 제대로 공중전을 시작했다, 뎅풍이는 먼저 재훈이에게 주먹을 날렸다.

"퍽" 소리와 함께 재훈이는 바닥으로 날아간 것 같지만 사실 뎅풍의 주먹을 막아 냈다. 재훈이가 몸으로 뎅풍이를 치며 뎅풍이를 바닥으로 밀어내고 빠르게 날아가서 주먹으로 뎅풍이의 얼굴을 때렸다. 하지만 뎅풍이는 껍데기가 있어서 큰 타격이 없었다. 그러자 뎅풍이가 일어나서 뿔로 재훈이를 제압시키고 주먹으로 수차례 때렸다. 화난 재훈이는 "챠"하며 사마귀의 팔을 꺼내서 뎅풍이의 많은 팔 중 하나의 팔을 잘라 냈다.

뎅풍이는 너무 아픈 나머지

"아아아악"

소리를 지르며 바닥으로 내려갔다. 내려간 뎅풍이에게 재훈이는

"나 괴롭힌 거 다 사과해."

라 했고 뎅풍이는

"내가 너 괴롭혀서 미안해.."

라며 사과를 했다.

그 시각 재훈이의 여친 예솔이도 벌이 되었다. 하지만 어떤 종류의 벌이 된지는 몰랐다. 그렇게 밖에 나갔는데 예솔이를 괴롭히던 일진 무리 6명도 벌이 된 모습을 보았다. 6명 일진들은 꿀벌이 된 것 같았다. 이때 일진들한테서 맛있는 냄새가 났지만 무시했다. 예솔이를 한 번에 둘러싼 일진들은 예솔이를 뜨겁게 만들어 괴롭히려고 했다. 근데 사실 예솔이는 장수말벌이었다. 장수말벌은 벌 종류 중에서 가장 크다. 그리고 장수말벌 몇십 마리만 있어도 꿀벌

몇만 마리를 죽일 수 있다. 그러므로 일진들은 망했다는 뜻이다. 예솔이를 뜨겁게 하자 예솔이는 입 옆에서 장수말벌의 턱이 나오면서 일진들을 물어뜯었다. 일진들은 살이 조금 뜯긴 채 아파하고 있었다. 예솔이는

"앞으로 나한테 관심도 갖지 말고 괴롭힌 거 사과해!"

라며 일진들을 무찔렀다.

그렇게 둘이 함께 일진을 이겨 버리고 강하다는 사실을 알게 되었고 곤충 세계가 되어서 괴롭힘을 당하는 아이들을 같이 도와주기로 했다. 함께 하늘을 같이 날면서 괴롭힘당하는 아이들을 찾고 있는데 눈에 띄게 많은 아이들이 한 명에게 다가가는 것을 예솔이가 보았다. 예솔이가

"잠깐 저기에 괴롭힘 당하는 아이가 있어! 우리랑 나이도 비슷해 보여."

"엇 가자!"

라며 기똥차게 다가갔다. 다가가자 많은 종류의 곤충들이 보였다. 공중에는 뱀잠자리, 비단벌레, 줄녹색박각시 등이 있었고 땅에는 대벌레, 가위개미, 공벌레 등이 있었다. 당하는 애는 왕지네인 것 같았다. 힘들어 보였지만 예솔이와 재훈이는 엄청난 합을 보여 주며 일진들을 물리쳤다. 모든 벌레에게 냄새가 났기 때문에 그런 것 같았다. 그러자 옥상에서 딱 봐도 싸움을 잘할 것처럼 생긴 여치와 바퀴벌레. 쇠똥구리가 엄청난 포스를 풍기며 등장했다. 그 애들이 나타나자 괴롭힘을 당하던 지네가 겁먹은 표정을 지으면서 예솔이와 재훈이에게

“도,,도망쳐 쟤네는 너네가 방금 싸운 애들과는 차원이 다른 애들이야. 얼른!”

이라 말하자 눈 깜짝할 사이에 지네 친구가 인질로 잡혔다. 인질로 잡혔는데도 불구하고

“얼른 도망가”

라며 소리쳤다. 예솔이와 재훈이는 도망가는 척을 했다. 그러자 3대장들이

“하하 쫄았군. 잘했어 민찬아,”

라며 지네 친구를 때렸다. 그때 예솔이와 재훈이는 눈이 마주치며 뒤를 돌아서 3대장 애들을 상대하러 뛰어갔다. 바퀴는 더듬이로 주변 상황을 살펴서 예솔이와 재훈이가 다가올 것을 예상하고 있었다. 그래서 3대장에게

“얘네 다시 온다. 준비해.”

라고 말해서 모두 방어를 준비하고 있었다.

예솔이와 바퀴가 붙었다. 예솔이는 바퀴에게 맛있는 냄새를 맡았다. 바퀴는 빠르게 달려서 주먹으로 예솔이를 때렸고 그때! 예솔이는 바퀴의 팔 한 개를 강력한 턱으로 잘랐다. 바퀴는 아파하며 뒤로 물러났고 예솔이는 한방 더 먹이기 위해 빠르게 날아서 바퀴에게 다가갔다. 하지만 바퀴는 팔이 다시 자라 있었고 더 강해 보였다. 사실 이 바퀴는 독일바퀴로 세계에서 가장 큰 바퀴였다. 아무튼 더 강해진 바퀴에게 예솔이는 독을 재빠르게 주입했다. 바퀴는 정신을 못 차렸고 예솔이는 지네 친구를 구하기 위해 지네 친구에게 다가갔다.

한편 재훈이는 여치와 쇠똥구리와 붙었고 지네 친구는 바닥에 내동댕이쳐졌다. 여치와 쇠똥구리는 “우당탕”하며 재훈이에게 다가왔고 재훈이는 여치에겐 냄새가 났기 때문에 재빠르게 “샤샥” 여치를 썰려고 했다. 그러나 여치는 너무 빨랐고 쇠똥구리가 재훈이를 “훙!” 하면서 날려 버렸다. 쇠똥구리에게는 왜인지 냄새가 나지 않았고 쇠똥구리도 재훈이에게 냄새가 나지 않았다.

쇠똥구리는 지금 재훈이를 동물들의 똥이라고 생각하며 날아간 재훈의 목덜미를 잡고 쇠똥처럼 굴리고 있었다. 재훈이는 센 힘에 굴려지며 정신을 못 차렸다. 이때 여치가 옆에서 엄청난 점프력을 뽐내며 정신 못 차리는 재훈이에게 강력한 펀치를 날렸고 재훈이는 기절했다.

싸움이 얼추 끝나고 쇠똥구리와 여치는 놀랄 겨를도 없이 독이 주입되었다. 정신이 희미해져 갈 듯했지만 쇠똥구리는 단단한 껍질을 가지고 있어서 독을 단번에 깼다. 그러나 여치는 정신을 잃었다.

예솔이는 무서웠지만 지네 친구와 재훈이를 데리고 도망치려고 했다. 정신을 차린 쇠똥구리는 도망치는 예솔이에게 똥을 던져서 예솔이를 멈추고 재훈이와 지네 친구를 데리고 도망갔다. 예솔이는 똥에 묻혀서 움직이지 못하고 재훈이와 지네 친구가 잡혀가는 걸 지켜보면서 “흑..흑..” 대며 눈물을 흘렸다.

시간이 지나자 예솔이는 똥에서 열심히 빠져나오려고 노력해서 빠져나왔다. 1짱처럼 보이는 쇠똥구리에게 남친과 구해 주려던 지네 친구를 뺏긴 예솔이는 괴롭힘당하는 또 다른 사람을 구해서 그 사람과 재훈이와 지네 친구를 구할 계획을 세웠다. 이제 그 계획을

실행하기 위해서 슬프지만 하늘을 날았다. 이때 괴롭힘당하는 한 여자 친구를 봤다.

그 여자 친구는 거미 인간이고 강해 보였지만 왜인지 계속 당하고 있는 것 같았다. 거미 친구를 구하러 하늘에서 내려가는데 남색 초원하늘소처럼 보이는 새침한 하늘소가 예솔이의 앞을 막았다. 하늘소에게는 맛있는 냄새가 났다. 예솔이는 냄새를 별거 아닌 걸로 생각했다. 하늘소는 이렇게 말했다.

“여기는 우리 구역이라서 오면 안 되는데 누규야 우리 이쁜 언니는?”

“저기에 있는 거미 친구 구하러 왔는데?”

라고 하자 하늘소가 바로 공격을 시작했다. 이때 나무를 뜯는 그 센 턱으로 예솔이의 팔 한 개를 뜯으려고 하자 예솔이는 간발의 차로 하늘소의 공격을 피했다. 하늘소는

“재미있는 언니네?”

라며 빠르게 날아서 예솔이 날개를 조금 뜯었다. 하지만 예솔이도 아랑곳하지 않고 하늘소에게 독침을 톡 하고 놨다. 하늘소는 하늘에서 휘청거리며 바닥으로 떨어졌다. 이제 거미 친구를 본격적으로 구하러 갔다.

구하러 가자 사슴벌레와 방아깨비, 매미, 누에나방이 있었다. 누에나방이 거미 친구를 묶으면 사슴벌레, 방아깨비, 매미 등이 거미 친구를 괴롭히면서 놀고 있었다. 예솔이도 예전에 화장실에 갇혀서 온갖 일을 다 당해 봐서 온몸에서 화가 치밀어 올랐다. 화를 참지 못하고 예솔이는

"너네 지금 뭐해?!"

라며 화를 냈고 바로 공격 자세를 취했다. 싸움을 시작하려고 하자 1짱인 것 같은 사슴벌레가

"아 빡치네 가자."

라 하며 예솔이에게 애들이 다가왔고, 사슴벌레 빼고 모두에게 냄새가 났다. 누에나방이 예솔이를 묶고 방아깨비가 몸 색을 바꾸어 예솔이를 노리고 있었고 매미는 "맴~맴" 울면서 예솔이의 귀를 아프게 했다. 예솔이는 머리를 굴렸다.

'그러고 보니까 사슴벌레는 어딨지..?'

옆에서 사슴벌레가 숲에 숨어 있다가 날아서 뿔로 예솔이를 자르려고 했다. 하지만 예솔이는 강력한 턱으로 누에의 명주실을 자르고 사슴벌레의 공격을 잽싸게 피했다. 그 뒤 위로 날아서 누에나방에게 독침을 쏘고 다시 날아오르는데 아까 매미의 공격 때문인지 정신이 점점 혼미 해져갔고 정신을 차려 보니까 모두 쓰러져 있었다. 괴롭힘을 당하던 거미가 예솔이에게

"괜찮으세요? 제가 다 물리쳤어요ㅎ.. 어떤 냄새가 나서 그런 건가"

상황을 들어 보니 예솔이가 기절하고 나서 거미를 묶던 누에가 없으니 거미가 매미에게 쓱 거미줄을 타고 날아가서 독을 주입하고 방아깨비가 옆에서 공격할 때 감지하고 독을 주입했다. 사슴벌레와 거미 친구가 혼자 남았을 때 거미 친구가 사슴벌레 주변에 거미줄을 다 쳤다. 그 뒤 사슴벌레가 거미줄을 자를 때 위로 날아가서 독을 "키이익" 주입했다.

예솔이는

“정말 감사해요! 혹시 저랑 같이 다른 친구들을 구하실래요?”

라고 했다. 거미 친구는

“하지만 저는 약한걸요..”

라 했고 예솔이는

“아니에요! 되게 강하세요.”

라 했다. 거미 친구는

“그럼 좋아요..!”

라고 해서 거미 친구와 함께 다른 친구를 구하기로 했다. 예솔이는 거미 친구에게

“그러고 보니 이름을 모르네요. 이름이 어떻게 되세요..?”

거미 친구는

“제 이름은 은비에요! 이름이 어떻게 되세요?”

라며 서로 이름을 주고받았고 함께 지네 친구와 재훈이를 구하러 떠났다. 하지만 쇠똥구리의 위치를 몰라서 찾으러 가기에 어려움을 겪었다. 이때 은비가 기발한 아이디어를 냈다. 바로 동물의 똥으로 쇠똥구리를 유인해서 위치를 알아내는 것이었다.

은비와 예솔이는 동물의 똥을 찾으러 날아다니고 거미줄로 휙휙 날아다니듯이 다녔다. 저 멀리에 동물의 똥으로 보이는 똥을 은비가 발견했다. 그 똥을 은비의 거미줄에 묶어서 지네 친구를 구하던 학교에 놨다. 그러자 몇 분 뒤 쇠똥구리가 똥에 재훈이와 지네 친구를 넣고 등장했다.

은비와 예솔이는 보자마자 쇠똥구리에게 냄새가 나서 무찌르려고 다가갔다. 쇠똥구리는 예솔이를 무찌르기 위해 지금까지 예솔이 독에

걸린 바퀴도 독침을 빼서 치료하고 재훈이에게 당한 여치도 치료를 했다. 열심히 함께 수련도 해서 엄청나게 강해진 3명과 쫄병도 많이 만들어 놓았다. 하지만 예솔이와 은비는 이미 쇠똥구리와 싸우려고 등장했다. 등장을 하자 갑자기 냄새가 나지 않기 시작했다. 알고 보니 예솔이와 은비는 약 100명과 싸워야 하는 위기에 놓였고 예솔이를 괴롭히던 꿀벌 일진들과 은비를 괴롭히던 일진들도 아직도 독의 여운이 있지만 모여서 더 많은 인원과 싸워야 했다.

먼저 은비는 알게 모르게 거미줄을 많이 쳤고 그거에 걸려 버둥대는 쫄병들에게 예솔이는 독을 하늘에서 뿌리면서 주입했다. 쫄병의 절반이 독 때문에 정신을 못 차렸다. 그 시각 똥 안에 있는 재훈이와 지네 친구는 똥이 구르지 않아서 정신을 차렸다. 재훈이는

"안녕하세요! 이름이 무엇인지..?"

라며 이름을 물었다. 지네 친구는

"저는 민찬이에요! 이름이 뭐예요?"

라며 활기차게 답하며 물었다. 재훈이도

"저는 재훈이에요. 일단 이 똥을 빠져나가죠ㅋㅋ"

라며 함께 끙차끙차 빠져나왔다. 빠져나오자 재훈이는 자신이 여친인 예솔이가 많은 인원과 싸우는 것을 발견했다. 재훈이는 민찬이에게

"저희도 싸워요!"라며 싸우러 날았고 민찬이는 "키잉" 하면서 다리가 빨라졌다. "팍. 탁. 팍" 거리며 싸움이 시작되었고 쫄병들은 모두 쓰러졌다. 이제 예솔이를 괴롭히던 꿀벌의 일진, 은비를 괴롭히던 다양한 일진들, 민찬이를 괴롭히던 쇠똥구리, 여치, 바퀴 등만

남았다. 그리고 쇠똥구리는 재훈이를 괴롭히던 일진과 친분이 있었고

“야 너 사마귀 알지? 걔 놀리게 ㅇㅇ학교로 와라.”

라 하여 재훈이를 괴롭히던 일진들까지 만나 버렸다.

하지만 예솔, 재훈, 은비, 민찬은 아주 강력했고 자신들을 괴롭히던 일진들에게 냄새가 나지 않자

“얘들아 가자!”

라며 싸움을 시작했다. 먼저 재훈이는 쉬운 개미 두 마리 모기 두 마리부터 강력한 팔로 “샤샥” 다리를 한 개씩 잘랐다. 그 뒤 더욱 쎄진 뎅풍이와 싸움을 시작했다. 뎅풍이는

“그때처럼 공중전 덤벼ㅋ”

라며 도발을 했고 재훈이는

“좋아.”

라며 받아들였다. 하늘에서 뎅풍이는 뿔로 재훈이를 아프게 하기 위해 날아갔고 재훈이는 단단한 뎅풍에게 센 팔로 어딘가를 잘랐고 눈을 떠보니 재훈이는 상처 하나 없이 이겨 있었다.

그다음 예솔이는 꿀벌 일진들을 그냥 거뜬하게 턱으로 팔을 뜯었고 독침을 한 방씩 놔서 이겼다.

그다음은 민찬이인데 민찬이는 일진들과 싸운 적이 없어서 재훈이가 도움을 주러 왔다. 재훈이도 그때 함께 져서 무서웠지만

“힘을 내자..!”

라며 민찬이와 화이팅을 하고 싸움을 시작했다. 바퀴가 민찬이에게 웃으며 다가오자 민찬이는

‘무서운데..’

라 생각하며 바퀴에게 강력한 턱으로 독을 주입했고 바퀴는 민찬이 위에 올라오다 독에 감염됐다. 민찬이는 바퀴를 쉽게 이기고 여치에게 다가갔다. 여치는 높게 뛰어서 민찬이에게 점프했고 민찬이는 빠르게 피한 뒤 빠르게 다가가서 독을 주입했다. 여치마저 독에 감염됐다. 그 뒤 비단벌레, 뱀잠자리, 가위개미, 공벌레 등 따까리들을 물리친 쇠똥구리와 싸우는 재훈이에게 다가갔다.

재훈이와 쇠똥구리는 정말 막상막하였다. 쇠똥구리는 자신의 무게의 50배보다 더 무거운 똥을 굴릴 수 있기 때문에 쇠똥구리에게 잡히면 완전 끝이었다. 그러나 재훈이와 쇠똥구리가 싸우다가 쇠똥구리에게 재훈이가 딱 붙잡혔다. 재훈이는 속으로 '망했다..'라며 주변에 도움 청할 사람을 둘러보고 있었다.

주변에는 아무도 도와줄 사람이 없어서 좌절하던 때 어디서 나타난 건지 모르겠는 민찬이가 쇠똥구리에게 빠르고 조심스럽게 다가가서 독을 "뿌북" 주입했다. 재훈이는

"껍질이 단단해서 독이 안 먹혀!"

라고 외쳤지만 희한하게 지네의 턱 독은 쇠똥구리의 단단한 껍질을 뚫고 쇠똥구리의 속살에 독을 주입했다. 쇠똥구리는 1초만에 기절하면서 재훈이를 놓았다. 이렇게 민찬이를 괴롭히던 일진들을 물리치고 이제 은비를 괴롭히던 일진들만 남았다.

은비, 예솔, 재훈, 민찬이는

"화이팅~!"

이라며 기합을 외치고 은비를 괴롭히던 일진들에게 다가갔다.

다가가자 하늘소, 사슴벌레, 방아깨비, 매미, 누에나방들이 자신들이

부른 쫄병들을 다 물리치니까 화가 난 건지 화난 얼굴을 하고 있었다. 그런 건 상관없으니 싸우기를 시작했다. 사슴벌레는 재훈이, 하늘소는 예솔이, 방아깨비, 매미, 누에나방은 은비와 민찬이가 맡았다.

방아깨비는 나뭇잎 하나를 정해서 숨었지만 은비는 숨은 나뭇잎을 발견하고 거미줄로 날아가서 방아깨비를 거미줄로 묶었다. 묶인 방아깨비는 거미줄에서 탈출하고 싶어서 몸부림치다가 더욱 탈출할 수 없게 되었다.

남은 매미와 누에나방은 혼자 남은 민찬이에게 다가갔다. 다가가자 매미는 "매~~~~앰"하고 울었고 민찬이는 정신이 없어 헤매다가 은비가 나타나자 정신이 딱 차려졌다. 은비는 작은 목소리로

"내가 누에나방을 맡을게. 네가 매미를 맡아."

라며 역할을 정했다. 민찬이는 매미에게 다가가서 독을 주입했다. 매미는 "맴" 거리다가 독을 주입 당하자 몸이 멈췄다.

예솔이는 전에 만나서 싸움에서 이긴 하늘소를 보자 쉬워 보였다. 하늘소는 전에 만나서 진 예솔이를 보자 쫌 떨렸다. 둘의 싸움이 시작되자 둘 다 하늘로 휭 날아서

"너 그때 졌잖아."

"그건 과거고"

라며 서로를 도발하기 시작했고 이제 싸움이 시작됐다. 하늘소는 그때처럼 턱으로 예솔이의 팔을 자르려고 더욱 강해져서 다가왔다. 하늘소가 강해진 것처럼 예솔이도 강해졌고 전과 다른 결과가 나올 수도 있다고 생각했다. 하늘소가 턱을 들이밀자 예솔이는 "샤샥"

가볍게 피해 주고 턱을 들이미는 척을 하다가 아래로 독침을 놨다. 하늘소는 정신을 차리는 것 같다가도 정신을 잃고 쓰러졌다.

마지막으로 사슴벌레와 재훈이가 싸우기를 시작했다. 사슴벌레는

"애송이랑 싸우면 재미없는데.."

라며 큰소리로 혼잣말을 했다. 그거에 화가 난 재훈이는 날카로운 팔을 꺼내서 사슴벌레를 자르려고 했고 사슴벌레는 팔을 뿔로 막았다. 그런 뒤 뿔로 재훈이에게 공격을 했다. 재훈이는 사슴벌레가 느려서 피해 버렸고 재훈이는 마지막으로 온 힘을 다해서 사슴벌레에게 공격을 남겼다. 얼마나 쎈지 "팍!!" 소리가 크게 났다. 예솔, 재훈, 은비, 민찬은 모든 일진들을 물리쳤다. 일진들은 이제 다시는 나대지 못할 것이었다. 이제 4명은 모두 자신이 강하다는 사실을 알게 되었다. 이 4명은 함께 자신처럼 괴롭힘 당하는 친구들을 구하기로 마음먹었다. 재훈이와 예솔이는

"우리 이제 강하니까 함께 팀을 만들어서 다른 친구들을 구하자!"

라며 의견을 냈다. 민찬이와 은비는

"그럼 우리 팀 이름은 그레이트 인섹트로 정하는 게 어때?"

라며 긴 상의 끝에 그레이트 인섹트라는 팀을 만들어서 왕따 당하는 친구들을 구하기로 했다.

추억 일곱. 조선시대 괴담

카리나

오늘도 춘삼이는 평소와 같이 농사일을 하고 있었다. 원래 허수아비가 많이 오래돼서 춘삼이는 허수아비를 새로 바꾸려고 원래 허수아비를 버렸다. 그리고 새 허수아비를 상인에게서 사서 밭에 놓아두었다. 그런데 허수아비를 설치하던 중, 춘삼이는 허수아비가 수상하다는 것을 알아챘다. 허수아비가 살짝씩 움직였던 것이다. 그리고 새로 산 허수아비의 한 쪽 눈이 없었다.

그렇지만 춘삼이는 크게 상관하지 않았다. 왜냐하면 춘삼이는 그런 일에 신경 쓸 겨를이 없었다. 오늘까지 농사일을 마쳐야 했다. 오늘까지 농사일을 마치지 않으면, 춘삼이는 3일을 기본으로 굶어야 했기 때문에 열심히 농사일을 했다. 그리고 그날 밤 춘삼이는 무사히 농사일을 마치고 집에서 밥을 먹을 수 있었다.

새벽이 되자 춘삼이는 이상한 소리에 잠에서 깼다. 그래서 춘삼이는 밖으로 나가보았다. 허수아비가 전날 아침에 설치해 둔 것과는 조금 다른 위치에 서 있었다. 춘삼이는 겁에 질려 다시 집으로 빠르게 들어왔다. 그때 비명소리가 들려왔다.

"꺄악!"

그리고 춘삼이는 집에서 나온 뒤, 상황을 살폈다. 오른쪽 집을 보니 사람이 죽어있었고, 허수아비는 더 이상 밭에 없었다. 춘삼이는 더욱 무서웠고 몸이 움직여지지 않았다. 춘삼이는 그 상황을 회피하기만 하고 싶었다.

몇 분 뒤 사람들은 시체를 발견하고 비명을 질러댔고, 허수아비는 이제 보이지 않았다. 사람들은 시체 주위에서 서성거렸고, 춘삼이도 그 쪽으로 가보았다. 시체를 보니 아무 상처가 없었고 피만 날 뿐이었다.

그 일이 있고 난 뒤로, 사람들과 마을 주민들마저도 시체가 있었던 집 주위에 가지 않았다. 며칠 뒤 그 마을은 거의 폐쇄되었고 사람들은 매일 그 일 이야기만 해댔다.

춘삼이도 더 이상 마을에 가지 못했다. 춘삼이는 집을 잃었고 결국 옆 마을 김순금의 집에 얹혀살게 되었다. 순금이는 다행히 춘삼이를 잘 맞아주었고, 살갑게 대해주었다. 춘삼이는 순금이와 살면서 밭일을 했다. 춘삼이는 매일 하던 농사일이라 어렵지 않았다.

그리고 어느 날 허수아비가 다 헤진 것을 춘삼이가 보았다. 춘삼이는 지난날의 악몽이 떠올랐다. 춘삼이는 허수아비를 살 때 저번 상인과는 다른 사람에게서 샀다.

"허수아비 하나만 주세요."

춘삼이는 최대한 저번과는 완전히 다르게 생긴 허수아비를 골랐다. 춘삼이는 집에 들어와서 허수아비를 설치하기 시작했다.

그날 밤 춘삼이가 자는 사이에 누가 대문을 두드렸다. 순금이는 그 소리를 듣고 집을 나가게 되고 춘삼이는 잠에 들었다.

다음 날 아침 거실에 가보니 순금이는 어딜 봐도 없었고 밭에도 없었다. 춘삼이는 순금이를 큰 목소리로 불러보았다.

"순금아!! 김순금!!!"

하지만 순금이는 이내 대답이 돌아오지 않았고 더 이상 집에 없었다. 춘삼이는 넓은 밭을 샅샅이 살펴보았지만 없었다.

그때 춘삼이의 눈에 띈 건 밭에 있지만 어제와 조금 다른 허수아비의 위치였다. 춘삼이는 전 동네에 있었던 일과 똑같은 일이 일어날까 봐 불안감과 두려움에 떨고 있었다.

조금 뒤, 어디에서 썩은 내가 났고 춘삼이는 냄새가 나는 곳으로 갔다. 그곳으로 가보니 순금이가 죽어있었다. 이번에도 상처는 없었고 피만 났다. 춘삼이는 그 상황을 마냥 피하고만 싶어서 순금이의 집으로 달려갔다. 춘삼이는 집으로 돌아와서 매우 슬프게 울었다.

"순금아 어디간거야.."

이 일이 마을 전체에 다 알려지게 되자 마을의 몇몇 관리들은 마을을 돌기 시작했다. 하지만 허수아비는 아무리 봐도 움직이지 않았다. 관리들은 며칠 동안 밤에 마을을 돌아다녔지만 허수아비는 아무런 이상한 행동을 하지 않았다.

"이상하네... 소문이 이상한 건가?"

한 관리가 말했다. 그래서 관리들은 이 소문을 알린 춘삼이에게 이렇게 말했다.

"허수아비가 움직일 리가 없지 않나요? 지금까지 허수아비로 인해 죽었던 사람들은 모두 허수아비가 아닌 사람이 죽인 것 같아요."

춘삼이는 어이가 없었지만 관리가 순찰을 했던 요 근래에는 춘삼이도 허수아비가 움직이는 것을 보지 못했다. 그래서 뭐라 덧붙이기가 애매해서 결국 그냥 떠났다.

관리들을 떠나고 마을로 돌아갔다.

"이상하다..."

춘삼이는 분명 허수아비가 뭔가 수상한 짓을 했다는 것을 느꼈기 때문이다. 하지만 증거가 없는 이상 춘삼이는 조금 더 기다려 보기로 한다. 근데 정말 관리들이 마을을 다녀간 이후로 허수아비가 전혀 보이지 않았고 그 뒤로도 더 이상 춘삼이와 마을 사람들 눈에 띄지 않았다. 한동안 춘삼이를 비롯한 사람들은 걱정과 두려움에 시달리지 않고 생활할 수 있었다. 하지만 단 며칠뿐이었다.

정확히 4일 뒤 수상한 낌새를 춘삼이는 느끼기 시작했다. 사람들도 마찬가지였다. 사람들은 사람이 죽는 것이 싫어서 관리들에게 부탁을 하였다. 하지만 관리들은 그 허수아비 이야기를 믿지 않는 터라 별 관심 없었다. 사람들이 계속 부탁을 하자 관리 중 한 명만 오늘 밤부터 순찰을 하기로 하였다.

그날 밤 사람들은 쉽게 잠에 들지 못했다. 순찰을 도는 한 관리는 귀찮다는 듯이 건성건성 살펴보고 걸었다. 급기야 가던 길에 멈춰서서 졸기까지 했다. 그 사이 허수아비는 아주 빠르고 아무도 모르게 관리를 살인했다. 소리도 나지 않게 죽이고 눈 깜짝할 새에 사라져 버렸다. 그리고 죽은 관리와 똑같은 분신을 만들고 떠났다.

다음 날 아침, 사람들이 수군거리고 마을은 떠들썩했다. 춘삼이가 그 소리에 깨서 밖으로 나가보니, 관리 시체가 있었다. 하지만 궁에는 똑같은 관리가 서 있었다. 다른 관리들은 어젯밤 죽은 관리 시체를 보고 소스라치게 놀랐다. 관리들은 이 일 이후로 죽은 관리와 똑같이 생긴 사람, 봉구를 뒷조사하기 시작했다.

가장 급이 높은 관리는

"봉구를 따라가자."

라고 말하고 다른 관리들은 급이 높은 관리의 말을 따랐다. 가짜 봉구는 다른 관리들이 쫓아오는 것을 금세 알아차렸고 자폭을 하기로 택한다. 가짜 봉구는 바로 앞에 보이는 집에 들어갔다. 그리고 곧 펑 소리와 함께 가짜 봉구는 사라지고 없었다. 그 뒤 춘삼이가 그 집에서 나왔다. 춘삼이의 집이었다. 춘삼이의 집 앞에서 지켜보고 있던 관리들은 정말 혼란스러웠다. 관리 중 한 명이 물었다.

"방금 사람이 들어가서 펑 하고 터진 거 맞죠..?"

춘삼이도 놀란 듯 대답했다.

"네, 그런 것 같아요.."

관리들은 점점 허수아비에 대해 궁금증이 생기기 시작했다. 이런 일이 계속 생김에도 불구하고 조선 전체에는 소문이 전혀 퍼지지 않았다. 오로지 한 마을만 난리가 났다. 허수아비들은 알고 있었다. 왜 소문이 나지 않는지. 첫 사건이 일어난 후부터 지금까지 이 마을은 나갈 수 없게 되어 있었다. 이 마을을 벗어난 사람들은 모두 길을 잃어서 돌아오지 못했다. 지금까지 죽었던 사람들은 진짜 죽은 것이 아니다. 시체는 허수아비가 만든 것인데 첫 사건, 두 번째 사건 역시 시체에는 상처가 없었다. 자국도 남아있지 않았다. 그러므로 모두 마을 밖으로 나가려다 길을 잃게 만들었던 것이다. 하지만 사람들은 모른다. 이 사실을 아는 것은 단지 허수아비들뿐이었다. 이렇게 해서 허수아비들은 이 마을을 점점 자기들의 것으로 만들려고 했다. 이 마을에 사는 사람들은 그렇게 많지도 않았다. 그래서 허수아비들은 금방이라도 마을을 차지할 수 있을 듯이 말했다.

"이 마을에 사는 주민들은 100명도 채 안 돼."

"내가 보았을 때는 70명 정도로 아주 적게 사는 것 같아."

"사람들을 따돌려서 얼른 이 마을을 차지하자."

세 허수아비가 차례로 말했다. 허수아비들은 아주 철저해서 사람들을 속이기에 능숙했다.

그날, 관리들은 연속으로 죽은 세 사람들의 시체를 자세히 관찰했다. 계속 보다가 한 관리가 말했다.

"세 시체들의 공통점은 다 상처가 없어요. 하지만 이렇게 처참하게 피를 흘리며 죽는 것은 거의 불가능한 일이에요."

제일 관직이 높은 관리는 말했다.

"오늘부터 일주일간 마을 곳곳에 숨어서 수상한 점을 찾아내도록 해."

다음 날 밤부터 관리들은 정말 자세하고 세밀하게 마을을 돌아다니며 보았다. 허수아비들은 눈치를 챘다. 지금 마을에 가서 사람을 죽이면 들킬 게 뻔했다. 그래서 허수아비들은 계획을 짰다.

"떠오르는 생각이 없는데 그냥 관리들을 다 없애버리는 건 어떨까?"

한 허수아비가 말했다. 그리고 다른 허수아비들은 흔쾌히 동의를 하고 어떻게 관리들을 죽일지 생각해 보았다.

"저 많은 관리들을 다 분신으로 만들어 마을 밖으로 내보내는 건 불가능해."

"그럼 관리들을 진짜로 죽이자."

허수아비들은 고민하다 그렇게 하기로 결정했다. 그리고 허수아비 셋으로는 부족해서 다른 마을에 있는 허수아비들을 불러 모았다. 허수아비들은 순식간에 2~3배로 불어났다. 허수아비들은 관리로 비슷하게 분장을 하고 마을로 천천히 들어갔다.

관리들은 자신들과 비슷하게 생긴 관리들이 마을 저쪽에서 오는 것을 보았다. 그 광경을 본 한 관리가 옆에 있는 관리들에게 물었다.

"저 사람들은 뭐야? 새로 온 건가?"

옆에 있던 관리가 덧붙였다.

"아 아까 안 온 관리들이 몇몇 있었던 것 같은데 그 관리들인 것 같아요. 아니면 반대쪽에서 오고 있는 관리일 수도 있어요."

허수아비들은 두 관리들이 눈치를 채자 반대편에 있는 관리들에게로 몰래 다가갔다. 그리고 곧 죽을 운명인 관리 한 명이 눈치를 챌 때쯤 바로 죽여버렸다. 이 과정을 몇 번쯤 반복했을 때, 저편에서 누군가 크게 소리를 지르는 것이 들렸다. 허수아비가 다른 한 관리를 죽일 때 낡은 초가집 앞에 서 있는 젊은 관리를 죽였었는데 허수아비는 조용히 죽였음에도 불구하고 누군가가 들은 모양이었다.

낡은 초가집에는 귀가 아주 밝은 할머니와 남자아이 한 명이 살고 있었는데 허수아비가 젊은 관리를 죽이는 사이 자고 있던 할머니는 젊은 관리의 작은 목소리를 듣고 깼다. 그 뒤로 덩달아 남자아이 선우가 일어났다. 하지만 허수아비들은 이 두 명이 깬 것도 모르고 다른 관리를 죽이러 떠났다. 하지만 할머니는 관리로 변장한 허수아비가 초가집 앞에 있던 젊은 관리를 죽이는 것을 보지는 못했다. 그래도 소리는 분명하게 들었다. 사람들은 꼬부랑 할머니가 귀가 밝다고 알고 있었다. 할머니는 밝은 귀로 관리를 죽이는 소리까지 들었지만 사람들에게 알릴 수 없었다. 왜냐하면 사람들에게 알릴 만큼 목소리가 크지 않았기 때문이다. 그래서 할머니 대신 남자아이 선우가 한밤중에 크게 소리쳤다.

“여기 사람이 죽어있어요!”

이 말을 계속 외치다보니 선우는 목이 아파왔다. 그래서 잠시 동안 쉬는데 그때부터 갑자기 마을이 소란스러워졌다. 선우의 큰 목소리에 마을 주민들이 다 깬 것이다. 자다 말고 깬 사람들은 거의 모두 집 밖으로 나와서 상황을 보았다. 그중 몇몇 사람들은 허수아비들을 마주치기도 했다. 하지만 사람들은 속을 수밖에 없었다. 허수아비들이 철저하게 변장한 탓에 사람들은 전혀 허수아비들을 알아볼 수 없었다. 마을이 한창 시끄러워진 그때, 선우의 옆집에 사는 사람이 집 밖으로 나왔다. 그리고 선우에게 물었다.

"대체 어디에 사람이 죽었다는 거야?"

"바로 제 집 앞에 있어요!"

그 순간 선우가 뒤를 돌아보니 시체는 온데간데없었다. 그리고 마을이 소란스러워지고 정신없어진 틈을 타 허수아비들은 마을을 조금씩 빠져나갔다. 그리고 선우의 옆집 아저씨는 시체가 없는 것을 보자마자

"시체가 없는데 무슨 헛소리를 하는 거야? 에이, 잠만 깼잖니."

그리고 그 뒤로 마을 주민들이 선우의 집으로 하나둘씩 오기 시작했다.

"시체가 어딨다는 거야?"

"분명 사람이 죽었다고 들었는데..."

사람들은 선우의 집 앞에 시체가 없는 것을 보고서는 어린 선우에게 온갖 말을 퍼부었다.

"시체라고는 없잖아!"

"한밤중에 사람들을 다 깨워놨네."

사람들은 할머니에게도 화를 냈다.

"애를 대체 어떻게 키운 거야?"

"할머니랑 단둘이 살더니, 애가 좀 이상해진 것 같아."

사람들은 죄 없는 할머니와 선우에게 화를 잔뜩 내고 집으로 돌아갔다. 그리고 마을은 더 이상 요란스러워지지 않았다. 할머니와 선우는 상처만 받은 채 집으로 들어갔다. 할머니와 선우는 둘이서 아무것도 할 수 없었다. 그렇게 서로에게 상처만 남은 밤, 허수아

비들은 몇몇 관리들을 제외하고는 다 죽여 버렸다.

다음날 사람들은 패닉에 빠졌고 허수아비일 초반 때처럼 두려움에 떨었다. 관리들이 거의 다 죽고 없기 때문이었다. 남은 관리는 단 10명뿐이었다. 이 10명은 오늘 밤 허수아비들이 말도 안 되는 속도로 죽일 것이다. 허수아비들은 자신들의 방해꾼인 관리들이 많이 없어진 것을 보고 매우 기뻐했다. 그리고 오늘 밤만을 기다렸다. 사람들은 왜인지 모르겠지만 어제 일 이후로 집에서 잘 나오지 않았다. 선우와 할머니도 마찬가지였다.

밤이 되고, 허수아비들은 마을로 갔다. 이번에 사람들은 순순히 잡히지 않았다. 사람들은 도망쳐 보았지만 빠른 허수아비들에게 잡히고 죽임만 당할 뿐이었다. 이제 남은 사람은 춘삼이, 할머니, 선우, 관리 2명이다. 이 5명의 사람들은 도망치고 있었다. 이 사람들은 의도치 않게 만나게 되었고, 허수아비들은 사람들을 곧 잡을 속도로 뒤에서 쫓아오고 있었다. 달리면서 관리들이 말했다.

"곧 우리도 잡힐 것 같은데, 얼른 뭐라도 해보자."

옆에 있던 관리는

"그냥 우리가 주민들을 위해 희생하는 게 어때..."

그 순간 오른쪽에 있던 관리는 달리다 말고 왼쪽에 있는 다른 관리를 잡아서 넘어뜨렸다. 그리고 오른쪽에 있던 관리도 얼마 못 가 잡히고 말았다. 그 사이 춘삼이, 선우, 할머니는 허수아비들과 싸우기 위해 바로 보이는 환한 집에 들어가서 불을 들고 온다.

나오는 사이 허수아비와 마주쳤다. 불을 들고 있던 춘삼이는 화들짝 놀라서 불을 허수아비의 몸에 가져다 대게 된다. 그 순간 허수아비는 불에 활활 타올랐다. 옆에 있던 선우와 할머니는 놀랐고 저편에서 오고 있던 다른 허수아비들도 놀라긴 마찬가지였다.

다른 허수아비 4마리가 춘삼이와 선우, 할머니를 죽이려고 하자 춘삼이는 먼저 나서서 횃불로 허수아비들을 위협했다. 허수아비들은 겁을 먹었다.

춘삼이는 허수아비들에게 복수를 위해 남은 허수아비들을 모조리 태워서 죽여 버렸다. 그런데 뒤에서 누군가 오는 소리가 들렸다. 뒤를 돌아보니 허수아비 1마리가 천천히 오고 있었다. 그 허수아비는 반쪽은 타 있었고 거의 걸을 수도 달릴 수도 없는 상태로 춘삼이에게 오고 있었다. 춘삼이에게 오자마자 춘삼이는 횃불을 치켜올렸다.

다친 허수아비는 춘삼이를 신경 쓰지 않고 춘삼이가 횃불을 들고 갔던 집으로 말없이 들어갔다. 춘삼이는 다친 허수아비가 아무 짓도 안하겠지 하고 집을 벗어났다. 그리고 마을 끝으로 걸어갔다. 마을 끝에는 더 이상 허수아비가 없었다. 전날 밤 2~3배로 불어났던 허수아비들은 각자 자신이 할 일을 하러 마을을 떠났다. 그리고 마을 밖으로 나가는 길을 통해 저절로 숲속으로 들어가게 되었다.

숲속 길은 생각보다 복잡하지 않았다. 허수아비들이 아무리 길을 잃게 만들려고 숲속 길을 조작하여도 밤이 아닌 이상 마을 밖으로 나갈 수 있었다. 하지만 그 당시에는 밤이었기 때문에 춘삼이는 지레 겁을 먹었지만, 횃불을 치켜올리고 숲속으로 용기 있게 들어갔다. 춘삼이와 선우, 할머니는 망설임 없이 마을 밖으로 빠져나가려고 숲속으로 들어갔다. 할머니의 밝은 귀로 허수아비가 오는 것도 다 알 수 있었다. 그렇게 마을 밖으로 빠져나가니 해가 뜨고 있었다. 별일 없이 춘삼이와 할머니. 선우는 마을을 나왔다. 춘삼이는 순금이 생각밖에 나지 않았다.

춘삼이는 그날 온갖 마을을 돌아다녔다. 하지만 순금이는 보이지 않고 찾지 못했다. 할머니와 선우는 악몽 같던 마을로 절대 돌아가고 싶지 않았다. 춘삼이는 마지막으로 순금이를 찾아다녔다.

"순금이라는 사람을 보신 적이 있으세요?"

할머니와 선우는 춘삼이가 순금이를 찾고 싶은 간절한 마음에 지치고 있었다.

"춘삼아 언제까지 순금이를 찾아다닐 거니... 이 늙은 할미는 너무 지친다..."

"저도 마찬가지예요 형."

"얼른 순금이를 찾을게."

그때 저만치 앞에서 순금이 얼굴이 보였다. 춘삼이는 순금이를 보고 순금이한테 뛰어갔다. 하지만 순금이는 춘삼이를 몰라보았다. 춘삼이는 아주 큰 충격에 빠졌고 할머니와 선우는 운명을 받아들였다. 춘삼이는 한순간에 절망감과 우울함에 빠졌다.

"순금이가 날 기억하지 못해..."

한편 허수아비가 차지하려던 마을은 폐쇄되었다. 아무도 그 마을에 대해 더 알 수 없었다. 그렇게 반이 불탄 허수아비만 그 마을에 남아 있었고 그 뒤로 마을의 일은 아무도 모른다. 춘삼이와 순금이도 결국엔 춘삼이만 순금이를 기억하게 되고 서로 아는 체를 하지 못하게 되었다.

그 후로 2000년이 되고 지은이의 학교에서 현장 체험학습으로 한 마을에 놀러 갔다. 지은이는 친구들과 다니다가 우연히 문이 열려있는 초가집을 보게 된다. 그 안을 들여다보니 반쪽이 잔인하게 불탄 허수아비가 있었다.

지은이는 호기심에 피를 흘리면서 불타있는 허수아비를 보러 초가집 안에 들어갔고, 그 순간 초가집의 문이 저절로 쿵 하고 닫혔다.

추억 여덟. 괴물 잡기

로웰

한 남학생이 문을 열며 반으로 들어왔다. 반 안에는 남자애들이 4명 있었고 모두가 들어온 남학생을 향해 얼굴을 찌푸리며 말을 했다.

"야 너 왜 이리 늦게 와. 너 때문에 축구할 시간 별로 없잖아.."

애들은 들어온 남학생에게 불평을 터놓았다.

"미안 미안, 대신 내가 심판할게."

그 남학생은 애들을 진정시키며 운동장으로 향하였다. 운동장에 막 도착할 때쯤 어딘가에서 피 냄새가 흘러왔다.

"야 이거 뭔 냄새냐."

"ㄹㅇ.. 피 냄새 나는데?"

아이들은 눈살을 찌푸리며 말을 이어갔다.

"야 일단 축구공 가지러 가자."

아이들은 모두 고개를 끄덕였고, 축구공을 가지러 창고 앞에 왔을 때 아이들은 더욱 눈살을 찌푸렸다.

"야 이게 뭔 냄새야."

창고 앞은 그 어디보다 피 냄새가 더욱 진동했다. 아이들은 손으로 코와 입을 막으며, 다른 한 손은 문손잡이를 잡아 문을 열었고

까악-!

아이들은 비명을 지르며, 얼굴은 새하얗게 질려갔다.

비명 소리를 들은 선생님이 소리가 나는 쪽으로 재빠르게 가자, 그곳엔 아이들이 창고를 보며 넋이 나가고 있었다. 선생님이 창고 안을 바라봤을 때 그곳엔 머리와 몸이 분리된 시체가 바닥에 널브러져 있었다.

"라는 일이 이 사건의 첫 번째야!"

"그래 그렇구나."

이 사건이 시작되고 1년 뒤 우리 학교에선 끔찍하고 잔인하게 죽은 학생들이 많아졌다. 아무리 CCTV를 설치해도, 경비원을 늘려도 다시 제자리걸음..

"따로 발견된 건 없어?"

"엄.. 뉴스에서 그러는데, 괴물일 수도 있대."

와 저런 정보는 어디에서 가져왔대?

"에이 설마,, 이 세계에 괴물이 있으면 여긴 판타지 세계겠다ㅋㅋ"

"야 그럼 네가 가봐, 괴물인지 사람인지 확인해보던지."

라고 말하고선 소연이는 뒤를 돌아보며 자기 자리로 돌아갔다. 나는 그 말을 듣고 한동안 생각에 빠졌다.

'정말 늦은 밤에 가볼까?'

나는 고민 끝에 가보기로 결심했다. 이 사건들은 대부분 늦은 시간에 일어나기에 나는 학원이 끝나는 대로 곧장 학교로 갈려고 결심했다.

7시.

나는 학원이 끝나, 바로 학교를 가려고 했다. 가는 도중 휴대폰 벨 소리가 여러 번 울려, 휴대폰을 확인하니 아빠한테 6통의 전화가 와 있었다. 나는 메시지 창을 켜, "학원 수업이 늦게 끝나서 8시에 도착할 것 같아."라고 보낸 뒤 가던 길을 갔다.

걷다 보니 어느새 학교 정문 앞에 서 있었다. 밤의 학교는 아침보다 더욱 음산했고 쌀쌀했다. 나는 침을 삼키며 정문을 열 때, 의아한 기분이 들었다.

'어..? 왜 정문을 열어두지?'

이상하게 학교에선 사건이 많이 일어나는데도 불구하고 정문을 열어두었다. 괜히 찝찝한 기분이 들었지만 내 발걸음은 이미 학교 안으로 들어와 있었다. 학교 안은 어두컴컴했고, 고요했다.

'아 그냥 갈까..?'

막상 들어오니 겁을 먹었다.

'그래도 괴물인지 아닌지 확인은 해야겠지..?'

나는 조심스럽게 발을 옮기며 복도를 돌아다녀 보았다.

터벅터벅

아무도 없어서 그런지 발걸음 소리가 복도를 울렸다

한 10분이 지난 뒤 아무 일도 일어나지 않자 괴물이란 건 없다는 게 확신이 들었다.

'뭐야 아무 일도 없잖아..'라며 이제 학교를 나가려고 가던 길을 멈추고 돌아서는데 저 복도 끝에서 무언가 움직이는 게 보였다.

'..?'

나는 그것을 계속 바라보았고 그것이 기괴한 움직임으로 나한테 다가오고 있다는 걸 알았다. 도망가려 몸을 움직였지만, 나는 무언가에 조종당하듯 몸이 움직이질 않았다. 그것은 곧 얼굴을 볼 수 있는 거리까지 와 있었다. 그것의 얼굴을 본 나는 충격에 휩쓸렸다.

얼굴은 말랐고, 눈은 파인 듯 검은색에 곳곳에 피가 흘렀다. 또한 몸은 거미 같았으며 뼈가 보일 만큼 마른 체형에 긴 머리를 한 여자였다. 그것은 나를 보며 씨익- 웃고 있었다. 그리고 그것은 내가 눈 깜빡할 사이에 나를 집어삼켰다.

알람 소리가 울린다. 나는 벨소리에 눈이 떠졌다. 그것도 내 방에서.

"어..?"

나는 얼굴에 식은땀을 잔뜩 흘리고 있었다.

'뭐야 꿈이었어..? 완전 공포 그 자체였는데..'

나는 꿈이란 거에 안심을 하고 있었다. 그런데 갑자기

띠링-!

내 앞에 알 수 없는 상태창이 떴다.

'뭐야 이건..!?'

그 상태창은 알 수 없는 말을 보여주고 있었다.

> 고은채 님
> 당신은 어제 19시 13분 12초에 생을 마감했습니다.
> 과거로 돌아가 괴물을 잡아 다시 삶을 시작하겠습니까?
> [YES] or [NO]

'이게 뭔 소리지.. 내가 죽었..?'

나는 어제 있었던 일을 떠올렸다. 그때 나는 어떤 여자에게 집어 삼켜졌고 자고 일어났을 땐 방이었다는 걸..

'이게 그 말로만 듣던 환생?'

> 네! 이건 환생의 기회입니다!

상태창은 나에게 환생의 기회를 준다한다.

'만약 아까 질문의 NO를 고른다면 그땐 어떻게 되는 거지?'

> 그럼 바로 죽음!

..나는 죽음이라는 두 글자에 얼굴이 굳었다.

'지금 이 상황도 말이 안 되는데, 죽음이라니..?'

그때 방문이 열렸다. 엄마가 들어오며 놀란 표정으로 말을 했다.

"너 학교 안 가니? 아까 간 줄 알았는데 교복도 안 입으면 어떡해??"

순간 나는 시계를 봤고, 시계는 8시 10분을 가리키고 있었다.

'헐 미친, 망했다.'

나는 상태창을 잊은 채 얼른 학교 갈 준비를 했다.

나는 간신히 지각을 면했다. 쉬는 시간에 나는 아까 생각난 YES or NO 답변을 하기 위해 화장실 세 번째 칸으로 들어갔다.

띠링-!

딱 마침 상태창이 켜졌다.

고은채 님! 지각을 면하셔서 다행이에요ㅎㅎ

'너 때문이잖아.. 아무튼 난 죽는 거 못하니까 YES할게.'

좋은 선택이네요! 환생의 기회를 줬으니 괴물을 잡아야 하는 거 잊지 않으셨죠?

'..? 괴물?.. 네가 언제 말했어..? 설마 어제 그 괴물을 잡으라고..?'

헐.. 기억력이 나이에 비해 낮으시네요! 분명 처음에 말씀 드렸는데에ㅜㅜ.. 그리고 선택은 되돌아갈 수 없어요ㅎㅎ 잡으세요!ㅎㅎ

'왓..? 아니 괴물을 어떻게 잡아..? 이건.. 이건 아니지ㅠㅠ'

괜찮아요! 능력을 줄테니ㅎㅎ

'하.. 진짜'

환생자의 정보~!	
이름: 고은채 (여자)	나이: 15살
성격: 4가지 없..ㅎ	능력치: 0
얼굴: 노란 긴 머리에 빨간 눈 고양이상	경험치: 0
	코인: 1,000 (환생 기념 코인 1,000)

갑자기 튀어나온 정보에 눈을 깜빡였다.

'그나저나 성격을 왜 저따구로... 코인은 또 뭐고'

코인을 모아 상점에서 능력을 구매할 수 있습니다!

'와 진짜 할 게 많네.. 아무튼 곧 수업 시간이니깐 좀 있다 다시 얘기해.'

네!

(6교시 수업 시간)

나는 수업하는 도중 갑자기 궁금해진 게 있었다.

'그 상태창은 뭐지?'

하는 사이

저는 저기 하늘 어딘가에서 환생 서비스업을 맡고 있는 헬퍼라 합니다!

'이야.. 얜 무슨 갑튀하는게 습관인가.. 아니 근데 하늘에 서비스 업..ㅋㅋ'

혼자 키득키득 웃고 있는데 선생님이 나를 발견하고선 짜증나는 말투로 말하였다.

"수업 시간에 집중 안 해?!"

나는 순간 머쓱해졌고, 다시 수업에 집중했다.

곧 있음 수업이 끝날 때쯤. 나는 연필과 지우개를 필통에 넣고 있는데 또 상태창이 생겼다.

미션 목록!
- 숙제 알리기(보상 캐시+5,000)
- 괴물 퇴치할 사람 모집! 0/4(보상: 캐시+10,000)

나는 상태창을 보며 한숨을 쉬었다.

'뭘 또 하라는 거야..'

그때 내 눈에 들어온 제목이 보였다.

> - 숙제 알리기(보상 캐시+5,000)

'이건 뭐지?'라고 생각을 하며 그 제목을 눌렀는데

> 선생님은 숙제가 있는 줄 모릅니다!
> 이 반 학생 중 몇 명은 아는데도 모른척하고 있어요!
> 숙제가 있다는 걸 먼저 선생님한테 말하세요!
> 보상을 얻을 수 있어요!

'설마 나보고 눈치 없는 짓을 하라고??'

하.. 할까 말까 고민에 빠졌지만 첫 미션이니 그냥 오늘 하루만 눈치 없는 짓을 하기로 결심했다.

"쌤, 숙제 검사 안 했는데요."

이 말을 하자 반 아이들 중 몇 명은 욕하는 표정을 지었다.

'아마 숙제를 안 한 애들이겠지..'

선생님은 내 말을 듣고선

"숙제 안 한 사람 손 들어."

라고 말하였다. 아이들 중 몇 명은 손을 들었다. 거기엔 나도 손을 들었다. 그러자 애들은 나를 보며 웃는 건지 욕하는 건지 모를 표정을 짓고 있었다.

"야, 고은채 너 뭐냐ㅋㅋ 숙제 안 한 사람이 숙제 검사해야 하는 걸 왜 알려ㅋㅋ"

유소연은 수업이 끝나자 나에게 바로 달려왔다.

"미안ㅋㅋ 그래도 코인 얻어야 하니깐ㅋㅋ"

"뭔 코인?"

엇.. 순간 당황했지만 태연하게 말을 했다

"아~ 있어~!"

"뭐야 궁금하게ㅋㅋㅠㅠ"

'ㅎㅎ 하지만 말하면 난 죽어..'

아까전 화장실에서 상태창에 대한 비밀을 말하면 죽는 걸 떠올랐다. 그때 또 친구 앞에 상태창이 떴다.

은채 님의 친구!	
이름: 유소연 (여자) 성격: 개구쟁이	얼굴: 갈색 머리에 갈색 눈, 중발에 머리 묶음 나이: 15살

'친구 것도 굳이 알아야 하나?' 하며 상태창을 보고 있는데 소연이가 갑자기

"야 너 왜 내 몸을 계속 봐!! 변태 고은채~!"

순간 어이가 없어서 크흡 웃음이 나왔다. 아 맞다 미션이 또 있었지.

미션 목록!
- 괴물 퇴치할 사람 모집! 0/4(보상: 캐시+10,000)

'음.. 자세히 봐봐야겠다.'

현재 호러 동아리의 리더이신 고은채 님! 동아리 임원들을 설득해 괴물 퇴치할 사람을 모으세요!

'동아리 임원으로 모으라고? 어..'

나는 임원들 중 세윤 선배님과 서영 선배님을 생각했다. 우리 동아리엔 나와 유소연, 그리고 선배님 3명으로 구성되어 있는데 선배님들 중에서 그 두 선배는 일진이기 때문이다..

'미션 어렵네.. 딱 봐도 밤에 학교 안 오게 생겼는데 어떡하냐..'

깊은 생각에 빠졌고, 곧 해결책이 떠올랐다.

‘잘생긴 도윤 선배님을 꼬시면 그 두 선배님도 오시겠다!! 그럼 모으는 건 쉽겠네!’

(동아리실)

“여러분들! 저희가 그 사건의 범인을 잡아요!”

이 말을 하자 동아리실 안은 갑분싸가 되었다.

“뭐..?ㅋㅋ 내가 왜 잡아.”

검은 단발머리에 앞머리가 있고 검은 눈인 세윤 선배님이 말하였다. 나는 그럴 줄 알고 남색 빛이 도는 머리색을 가진 도윤 선배님에게 물어보았다.

“선배님은 가실 거죠?”

그러자 선배님은 알겠다고 고개를 끄덕였다. 나는 또 내 친구 소연이에게도 물어보자 소연이는 질색하는 표정으로 안 가겠다고 하였다. 하지만 나는 미션을 완료해야 하기에 소연이의 약점을 건드려 버렸다.

“가면.. OO보이즈의 최애 포카 10장 줄게!”

사실 소연이는 OO보이즈하는 보이그룹의 광팬이어서 앨범, 포카, 굿즈 등 다 모으는 광팬이다.

“오키오키, 하자 없는 포카로 가져와.”

소연이는 가겠다고 동의를 하였다.

‘이제 남은 건 두 선배님뿐이네..’

그러자 지켜만 보던 두 선배님들도 가겠다고 했다. 사실 저 두 선배님은 도윤선배님을 예전부터 짝사랑했었기에 이 동아리에 들어오신 거 같다. 아무튼 우리는 밤 8시, 동아리실에서 모이자고 약속을 정하였다.

나는 집에 돌아와 소파에 앉아 있었다. 상태창은 8시까지, 몇 시간 남았는지를 알려주고 있었다. 이후에 나는 내가 모은 코인으로 상점을 둘러보았다.

상점 (코인 16,000)	
치료 능력	전투 능력
-1,000	-1,000

나는 미리 전투 능력을 2번 샀고, 치료 능력도 1번 샀더니 몸 안에 뭔가 강한 힘이 느껴졌다.

고은채 능력 확인표	
전투 능력 200%	치료 능력 100%

'오! 이런 걸 알려주는구나.'

감탄하던 사이 시간은 곧 8시를 가리키고 있었다.

"이제 출발하자!"

다행히 부모님은 일이 있어 집에 늦게 돌아오신다 했다.

"야 늦었다ㅋㅋ"

"도윤이가 많이 걱정하는 거 아니야?"

학교 앞, 약속 시간보다 10분 늦게 도착한 두 선배님들. 선배님들은 학교 문을 열고 들어와 동아리실로 향하는데 갑자기

"죽어죽어죽어죽어죽어죽어죽으라고!!"

복도 맨 첫 반에서 소리가 들렸다. 두 선배님은 그 소리를 듣고 놀라 서서히 그 반 앞으로 가, 창문으로 안을 들여다보았다. 그곳엔 벽을 보며 서 있는 어떤 여자가

"죽어죽어.."

라고 작게 소곤거리고 있었다.

"뭐야..? 에이씨.. 장난치는 건가."

세윤 선배님이 말하자 그 여자는 말하는 것을 멈추더니 고개를 돌려 두 선배님을 바라봤다. 두 선배님은 그 여자를 보더니 동공이 흔들렸다.

'저게 뭐야..'

그 여자는 저번처럼 기괴한 움직임으로 다가오고 있었다. 얼굴은 미소를 띤 채로. 그리고 두 선배님은 비명을 질렀다.

까악-!

"응 뭐지?"

밖과 달리 동아리실은 밝게 불이 켜져 있었다. 안은 나와 소연, 도윤선배님이 있었다. 우리는 비명 소리가 들려, 문을 열고 복도를 쳐다봤지만 그곳엔 아무도 없었다.

"아무도 없는데?"

"잘못 들은 건가?"

은채와 소연이가 황당해하고 있는데 도윤 선배님이 말하셨다.

"일단 걔네 둘은 안 오는 거 같으니까 우리끼리 하자."

우리는 알겠다고 대답을 하였고, 동아리실 불을 끄고 복도로 나왔다.

'으아.. 복도는 몇 번이나 봐도 익숙하지 않네..'

복도는 저번과 같이 어둡고 음산했다.

> 고은채 님 현재 두 선배님이 괴물에게 붙잡혔습니다.
> 창고로 가 두 선배님한테 치료 능력을 써서 치료를 하세요.

'창고..? 두 선배님이 거기에 붙잡혀있나..?'

나는 의문점을 품었지만, 창고로 향했다.

"왜 갑자기 창고에 가?"

소연이가 물었다.

"엄.. 괴물이 나올지 모르니까 창고에 가서 야구방망이를 챙겨오는 게 어떤가 싶어서"

상태창이 했던 말을 말할 수 없기에 거짓말을 하였다.

창고에 도착한 뒤 우리는 문을 열었고 악취가 흘러나왔다.

"으.. 야 플래시 좀 켜 봐. 어두워서 잘 안 보인다."

소연이가 말하였고, 나는 휴대폰 플래시를 비추었는데.. 그것을 본 우리는 몸이 굳어버렸다. 우리가 본 것은 두 선배님이 목을 매달고 죽어가고 있던 것이었다.

'ㅁ..뭐야..'

그때, 우리 뒤에서 무슨 소리가 들렸다.

"끼익..."

우린 그대로 뒤를 돌아봤고, 그 뒤에는 괴물이 있었다.

“찾..았..다? 히히히히”

괴물은 우리를 향해 괴상한 웃음소리를 내었다. 우린 소리도 못 내고 뒷걸음질하였다. 순간 우린 정신을 차렸고 도망치기를 시작했다.

달린 지 몇 분 후에 우린 학교 정문 앞에 있었다.

“드디어.. 나갈 수 있어ㅠ”

소연이는 나갈 수 있다는 사실에 기뻐하며 정문을 넘으려고 할 때 갑자기 괴물이 거미처럼 빠른 속도로 달려오고 있었다.

“은채야! 얼른 와!”

이미 도윤 선배님과 소연이는 정문 밖으로 나가 있었다. 나는 점점 다가오는 괴물을 보며 흠칫 놀랐다. 두껍게 파인 검은 눈과 거미 같은 몸.. 기괴한 얼굴에 심장이 마구 뛰었지만 내 임무를 해야 한다는 생각으로 다시 학교 안으로 뛰기 시작했다. 뛰면서 나는 소연이와 도윤선배님을 향해

“꼭 살아서 돌아올게요.”

라고 말을 한 뒤 다시 학교를 향해 뛰었다.

이제부터가 시작입니다!

상태창은 이제부터 괴물과 싸워야 한다는 신호를 보내고 있었다. 나는 긴 복도에서 괴물과 단둘이 있었다.

'진짜 무섭네..'

숨 막히는 고요함. 나는 상태창을 열어 능력함에 들어가 코인으로 다양한 무기들을 구입했다.

권총 획득!

활 획득!

등 여러 개의 무기들을 쓸 수 있게 되었다. 나는 곧바로 권총을 꺼내 괴물을 향해 총을 쏘았다.

"탕"

괴물은 총에 맞은 다리를 아파하듯이 휘청거리며 넘어졌다. 나는 지체 없이 여러 번 총을 겨눴고 괴물은 주변에 초록 피를 내뿜으며, 쓰러지려고 할 때, 괴물의 손이 날카로워지며, 그것은 곧 내 눈으로 덮쳐왔지만 다행히 덮쳐오기 전에 상태창이 재빠르게 보호막을 켜줬기에 살 수 있었다.

'이야.. 보호막 없었으면 죽었겠는데..'

나는 침을 꼴딱 삼키며 다시 싸우는 것에 집중했다.

은채 님, 괴물의 심장 쪽을 공격하세요. 완전 없어지게! 그곳을 공격하지 않으시면 괴물은 계속 살아납니다!

'심장이라..'

나는 능력함에서 긴 화살과 활을 꺼내 괴물의 심장에 쏘았다.

'이래 봬도 내가 학교에서 쫌 소문난 양궁선수라고ㅋ' 라 생각하고 쏘았지만 빗나갔다.

'어.. 원래 처음은 실수하고 시작하는 거지.'

나는 대수롭지 않게 두 번째 화살을 쏘았고, 화살은 곧 심장 가운데에 꽂혀버렸다. 그러자 괴물은 괴성을 내며 쓰러졌다.

'하..아.. 드디어'

내 얼굴은 환한 미소를 띠고 있었다. 괴물의 모습은 점점 사라졌다.

축하합니다-! 괴물을 잡았네요!
나가기 전 두 선배님을 치료하세요!

'뭐야.. 할 말이 그렇게 없나.. 아무튼 선배님들 치료하고 이제 편히 쉴 수 있겠다..ㅎㅎ'

나는 힘없는 다리로 창고를 향했고, 두 선배님들을 치료해 주었다.

'뭐.. 나 때문에 죽을 위기에 처했으니깐.. 근데 만약 두 선배님들이 일어나서 나를 막 죽이려고 달려들면 어쩌지???'

걱정마세요! 은채님 빼고는 아무도 이 일을 기억하지 못할 것입니다!

상태창은 나를 안심 시켰다.

'이제 이 지옥 같은 세계관도 끝이네...'

1개월 후, 학교는 그저 평범한 일상이 반복되었다. 상태창은 어느 순간 안보이길 시작했고, 범인 관련 뉴스나 사건들도 순식간에 없어지게 되었다. 마치 아무 일도 없던 것처럼.

추억 아홉. 파란 구슬의 악몽

깜찍공쥬

2000년대 선선한 여름날. 팀장은 행복을 감추지 못했다.

"드디어 완성했어..!"

어두컴컴한 시골 연구실 그 안에서 몇 년 전부터 연구한 기억 이식 실험 기계를 완성했다. 기억 이식 수술을 하는 이유는 그 누구도 알지 못했다. 다만 팀장님이 어린 시절에 아동학대를 당한 거만 알고 있었다.

"그럼 드디어 인체실험을..."

팀장은 다 망가져 가는 컴퓨터를 켜고 실험 대상들을 뽑기 시작했다.

"돈에 미쳐버린 한심한 인간들은 참 단순해..."

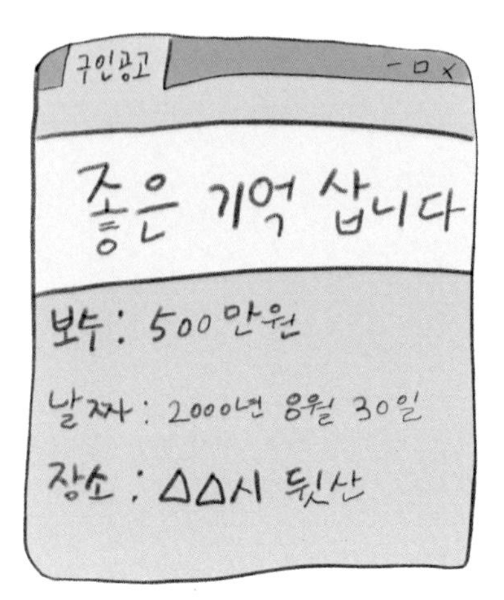

불법홈페이지에 피험자를 구한다는 글이 올라가자 돈의 액수를 보고 수많은 사람들이 지원을 했다. 그리고 마침내 100명의 피험자들을 뽑았다.

"그럼 오랜만에 침대로 갈까나~"

피곤에 찌들어 버린 팀장은 몰랐다. 그게 생에 마지막 잠이었다는 것을...

그다음 날 평소와 똑같이 출근한 다른 연구자들은 늘 열려져 있던 팀장님 방문이 닫혀있자 수상했다. 문을 열자 팀장님은 사람 같지 않았다.

"설마 에이 설마..."

설마는 맞았다. 팀장님은 그렇게 실험 성공을 한 뒤 편히 하늘로 갔다.

"얘들아..... 피험자 언제 오지?"

팀장님을 정말 존경하고 사랑했던 한 연구자는 기억 이식 수술을 계속했다. 그도 아픈 기억이 있어서 그런지 가장 슬퍼하고 실험을 더 열심히 했다.

그리고 실험 날. 피험자들이 점점 연구실로 다가올수록 연구자들은 더더 긴장됐다. 그렇게 연구실 문이 열리자 시끌시끌하던 사람들은 연구자들이 나오자 마치 약속이라도 한 것처럼 일렬로 쭉 줄을 섰다. 그리고 첫 번째 피험자가 들어오고 기계를 보자 한 이야기는..

"진짜 500만 원 주는 거 맞죠?"

그렇게 간단한 건강검사 후 기계에 앉았다. 그리고 몇 분 뒤 기계 입구에서 그 사람의 기억이 담긴 파란색 동그란 구슬이 나왔다.

기쁨도 잠시 남은 피험자들 기억을 다 뽑고 나서야 행복할 수 있었다.

"저희 성공 맞죠!!"

실험실은 축제보다 더 축제 분위기였다. 그렇게 멈출 수 없는 재앙이 시작되었다.

그리고 23년 뒤...

“으악 지각이다.”

교복도 급하게 입고 학교로 갔는데 역시나 학교는 그 얘기만 하고 있었다. 기억 이식 수술... 진짜 듣기 싫다. 사람들은 모르겠지 내가 그 연구자 딸인 거를..

“아 진짜 싫,,”

말을 다 끝내기 전에 그 사건이 터졌다. 복도 끝에서 누군가가 파격적인 말을 했다.

“야야 대박 소식 1-3반 어떤 배신자가 기억 이식 수술했다.”

그 말이 끝나기도 전에 어디서 들었는지 우리 학교 학생들은 거의 다 온 것처럼 많은 학생들이 우리 반 앞에 있었다. 뒤늦게 온 선생님들은 많은 아이들을 통제하기 힘들었다.

“다 반으로 들어가!!”

아무리 소리를 질러도 미동도 하지 않은 아이들은 계속해서 우리 반으로 들어오려고 했다. 반에서는 묘한 시선들을 주고받으며 서로를 의심했다. 그리고 경찰이 오자 드디어 사건이 끝났다.

그리고 나는 오늘도 뒷산으로 올라간다.

“아빠 저 왔어요.”

나는 늘 했던 것처럼 지하 계단을 내려가서 방으로 들어와 가방이랑 교복을 휙휙 던져놓고 책상에 앉아서 일기장을 꺼냈다. 그리고 오늘 일을 술술 적었다. 근데 일기를 쓰는데 오늘따라 짜증이 났다.

사건이 끝나고 마음도 정리할 겸 몰래 옥상으로 올라갔다.

“하 시원해”

근데 인기척이 느껴져서 뒤를 돌아보니 3학년에서 가장 인기 많은 이준 오빠가 뒤에 있었다. 그리고 그 오빠는 나를 보고 놀란 게 아니라 마치 비밀이 있는 거처럼 나에게 오라고 손짓했다. 내가 그 오빠에게 다가가자 그 오빠는 숨을 한번 길게 쉬더니 입을 열었다.

“나도 연구자 아들이어서 아는데, 너도 연구자 딸이지?”

그 말을 듣자 나는 놀라서 더듬으면서 대답했다.

“어어어 뭐지?”

그 오빠는 피식 웃더니 말했다.

“우리 엄마가 알려줬어 그건 나중에 말하고 너 너희 아빠가 무슨 짓 했는지 알아?”

갑자기 훅 들어온 질문에 나는 놀랐다. 오빠는 마치 미안하다는 듯 입을 한 번 더 열었다.

“너 그거 알아? 시신유기 사건”

나는 처음 들어본 사건이어서 놀랐다.

“무슨 일인데요..?”

물어보니 지금으로부터 3년 전 내가 12살이었을 때 일이다.

“알려줄게...”

나는 침을 한번 삼키고 들었다.

“실험이 막 유명해졌을 때 외국인 피험자가 왔는데 언어소통이 안되자 연구자는 너무 화나서 결국 책상 옆에 있던 유리병을 던졌어. 그게 원래는 몸에 던지려고 했는데 머리로 날아가서 머리에 맞았대. 근데 피험자가 많이 아팠는지 쓰러졌는데 그대로 죽어버린 거야.."

나는 충격이었다.

"아직 충격받기는 일러. 죽어버린 피험자를 연구자들이 산에 시신을 유기했어."

그리고 잠시 망설인 오빠는 말했다

"근데 그거 한 사람이 너네 아버지야..."

나는 아빠에 대한 분노와 서운함 그리고 나도 죄책감이 들었다. 나는 더 듣고 싶지 않았지만 궁금해서 계속 이야기를 들었다.

"하지만 결국 경찰에게 들키고 연구소 폐지와 연구자 자격 박탈을 당했지. 하지만 자격 박탈을 받지 않은 연구자들이 다시 연구소를 만들고 실험을 계속했어. 그래서 불법이 되었지. 근데 그거를 수없이 반복해서 이제는 경찰들도 포기했어."

나는 이 이야기를 듣고 학교에서 계속 멍때리다가 집으로 왔다.

"아 손 아파ㅠㅠ"

일기를 손으로 다 쓰고 나니 해는 지고 달이 떠 있었다.

"뉴스에 학교 일이 나오면.."

상상도 하기 싫었다. 아빠는 뉴스에 실험 이야기가 나오면 나에게 늘 말했다.

"너는 나중에 나의 연구를 물려받아야 해!"

늘 강압적이었지만 나는 항상 좋다고 말했다. 그리고 그날 저녁

뉴스에 학교 이야기가 나왔다.

"하.. 아빠가 물어보겠지.."

핸드폰으로 뉴스를 보고 상심에 빠져있는데..... 누군가 내 방문을 쾅! 열더니 도망가라고 소리쳤다. 무슨 상황인지도 모른 채 지하 탈출구만 보고 계속 뛰었다.

"하...하..하...아..."

겨우 숨을 고르고 있는데 어디서 사이렌 소리가 점점 들려왔다. 점점 더더 가까이 들리기 시작했다. 그리고 나는 이제야 알았다 멀리서 보이는 군인과 경찰 가까워지는 사이렌 소리 그리고 미친 듯이 뛰는 연구자, 자료를 찾는 연구자, 그리고 홀로 남아있는 우리 아빠... 나는 무언가에 홀린 듯 아빠만 바라보고 있었다. 그때

"꺄아 까아"

그 소리는 지옥의 시작이었다. 마치 액션 영화처럼 총소리가 가까이에서 들리고 피 터지는 연구자님들... 울고 있는 나. 이 장면은 마치 액션영화 같았다. 그리고 나는 아빠에게 달려갔다. 경찰이 나를 말렸지만 난 계속 뛰었다.

연구실은 전쟁이 지나간 것처럼 아수라장이었다. 다 깨져있는 조명, 망가진 컴퓨터들. 그리고 모든 방문이 뜯겨있었다. 그리고 천천히 들어가자 마치 무엇이라도 찾는 듯 서랍이며 금고 등이 다 털려있었다.

나는 무섭고 두려운 마음을 뒤로 하고 아빠 방으로 들어갔다. 충격이었다. 그 안에는 알 수 없는 기계에 엄마가... 있었다. 나는 엄마 없는 15년을 살아왔다. 어렸을 때는 아빠가 너무 좋았다.

하지만 우리 아빠는 소중한 가족까지 실험체로 사용했다.

"아빠!!"

피를 흘리면서 생사의 고비를 넘기고 있는 아빠가 보였다. 그리고 아빠가 마지막으로 한 말은 아직도 기억에 남는다. 멈추지 않은 눈물을 겨우 진정하고 아빠에게 물었다.

"아빠 왜 그랬어? 왜 그랬냐고"

울먹이는 목소리로 한 말은 이거였다.

"아빠는 네가 이 연구를 꼭 물려받으면 좋겠어..."

아빠는 나에게 커다란 실망을 남겨주었다. 이제는 진짜 싫었다, 아빠가. 나는 큰맘 먹고 아빠에게 말했다.

"아빠 미안. 안녕."

그리고 그게 나의 마지막 아빠의 모습이었다. 아무것도 그 누구도 보기 싫었다. 하지만 누군가는 달랐다. 엄마보다 나를 가족보다 나를 먼저 찾은 사람..

"이나리 이나리!!!!"

그렇다 이준오빠는 나를 먼저 찾았다. 안 울려고 안 울려고 했지만... 오빠를 보자 눈물이 오빠를 환영해 줬다. 마치 오빠는 예상한 듯 계속 기다려 주었다.

그리고 나는 오빠에게 지금까지의 모든 얘기를 했다. 오빠가 이만 내려가자고 했지만 발은 움직이지 않는다. 오빠가 매일매일 날 보러왔지만, 어제부터 오빠가 오는 횟수가 줄었고 그날 나에게 말하고 갔다. "나리야 이제는 나도 힘들어.. '미안.'"

오빠도 가족을 찾으러, 죽은 연구자들도 집으로, 살아남은 연구자들도 집으로.. 언제부터 오빠가 오는 횟수는 줄었고 오랜만에 오빠가 왔다.

"미안 요즘 바빠서.."

나는 오빠보다 봉투에 있는 생필품이 더 보고 싶었다.

부스럭 부스럭

오빠 뒤에는 맹수처럼 무섭게 생긴 사람이 점점 다가왔다.

"안녕? 이준이 아빠라고 해. 그냥 아저씨라고 부르렴."

나는 처음 보는 사람이어서 없던 의심도 생겼다. 아빠라는 단어를 듣기도 싫었다. 그리고는 정적이 흐르고 그 아저씨라고 하는 사람이 말을 시작했다.

"엄... 너한테는 싫을 수도 있지만 우리 집에서 좀만 있다가는 건 어때?"

갑자기 나온 말에 나는 더더 놀랐다. 그리고 이유를 막 여러 가지 말하는데 그냥 가기 싫었다. 아저씨라는 사람은 포기가 없었다. 매일 같은 시간에 나에게 왔다. 그리고 결정을 내렸다.

"좋아요 가요!"

한 발 한 발 뒷산을 내려오니 노을 진 우리 동네가 보였다. 그리고 집에 도착하니...

"어..? 이 기계는.."

익숙했다. 그 지옥의 기계가 내 눈앞, 내 앞에. 그 안에는 살아있던 연구자들이 있었다. 그때 쿵. 내 머리에 무언가가 깨졌다. 그리고 일어나보니 기계에 앉아 있었다.

"자 마취 들어갑니다ㅎㅎ"

그렇게 나의 소중한 기억들이 구슬로 나왔다.

“어? 내가 여기 왜 있지?....”

추억 열. 수학여행의 비밀

봉순이

2000년대 공룡 고등학교에서 5박 6일 동안 일본으로 수학여행을 갔다. 3반 서희는 설레는 마음으로 일찍 준비를 마치고 캐리어를 챙기고 밖으로 나갈 준비를 했다.

"마스크, 칫솔, 치약 다 챙겼다!"

서희는 너무 설레서 평소보다 10분 더 일찍 밖으로 나갔다. 서희는 친구들과 만나기로 한 장소로 갔는데 갑자기 핸드폰에 문자가 왔다.

"지금 신종 좀비 바이러스가 유행이니 마스크를 반드시 착용하세요."

서희는 첫 일본 수학여행인데 마스크를 써야 해서 약간 짜증이 났다. 마스크를 쓰고 5분 정도 기다리니 친구들이 왔다.

"야 한여름, 김소연!"

"야! 빨리 가자! 10분 남았어!!"

서희와 친구들은 무거운 캐리어를 들고 학교로 달려갔다. 달려가니 선생님과 친구들은 이미 줄을 서고 있었다.

"앗 늦어서 죄송합니다"

"으휴휴휴 빨리 서!"

줄을 서고 1반부터 6반까지 차례대로 버스를 타러 갔다. 그때 선생님이 말했다.

"자 마스크 다들 썼지? 안 쓴 애들은 지금 다 써라!"

서희는 소연이와 함께 앉았는데 소연이가 간식을 엄청나게 챙겨 왔다.

"헐 너무 많이 챙겨온 거 아니냐?"

"아니 나 밥을 안 먹고 와서 너무 배고파ㅠ"

소연이는 먹고 서희는 에어팟으로 노래를 들었다. 서희는 너무 졸려서 노래를 듣다가 잠들었다. 좀 자다 보니 공항에 도착했다. 선생님은 공항이 넓으니까 조심하라고 얘기하고 비행기를 탔다. 비행기 자리에 앉고 다시 서희는 잠들었다.

서희가 잠든 사이 일본으로 도착했다. 서희는 비행기에서 내렸다.

"헐 나 일본 처음 왔어!"

그런데 다시 버스에 타서 숙소로 갔다.

"아 도착한 줄 알았는데,,, 언제 도착해——"

"그니까.."

숙소로 가서 숙소 강당으로 갔는데 교관 선생님들이 엄청 많이 계셨다. 반별로 모이고 있는데 한눈에 봐도 무서운 선생님이 앉으라고 소리쳤다.

"빨리 다 앉아랏!!"

서희는 무서워서 재빠르게 앉았다. 선생님이 지르는 소리에 다른 애들도 다 자리에 앉았다. 선생님은 애들이 다 앉은 것을 확인하고 간단한 규칙을 말했다.

"뛰지 않기, 취침 시간은 10시, 편의점 이용은 10시까지."

선생님 말이 끝나고 캐리어를 챙겨서 방으로 올라갔다. 그런데 기대한 만큼 숙소가 좋지 않았다. 쾌쾌한 냄새가 나서 같은 방인 여름이가 페브리즈를 뿌렸다. 페브리즈 덕분에 조금은 냄새가 좋아 졌다. 그치만 많이 쉬진 못했다. 나오라는 소리가 들려서 바로 서희, 여름, 소연, 지희, 봄이는 가방을 챙기고 밖으로 나가서 버스를 탔다. 서희가 말했다.

"무슨 쉴 시간을 안 줘—— 아올!"

그러는 사이 버스는 출발했다. 버스가 출발함과 동시에 서희는 피곤한지 바로 잠들었다. 잠든 지 15분 뒤쯤 오사카 공원에 도착해서 여름이가 서희를 깨웠다. 잠을 깨고 버스에서 내렸다.

선생님이 자유 시간을 주셔서 나무 옆에서 예쁜 사진도 찍었다. 친구들과 카페에 가서 시원한 음료도 마셨다. 그러다 보니 자유 시간이 5분이 남았다. 선생님이 정한 장소로 가야 하는데 카페에서부터 그 거리까진 너무 멀었다. 하지만 뛰면 안 돼서 너무 복잡했다. 하지만 늦으면 벌을 받기 때문에 서희네 조는 선생님이 정한 장소로 빨리 가기 위해 뛰었다. 그런데 다른 반 애들이 서희네 조가 뛰는 걸 보고 교관 쌤한테 일렀다. 시간 안에 도착했지만 뛰어서 앉았다 일어나기 10회 벌을 받았다. 서희와 여름이와 소연, 지희, 봄이는 짜증이 났다. 결국 기분이 상한 채로 버스로 갔다.

도착하자마자 서희는 소파로 가서 누웠다 10분 뒤 점심을 먹으러 다시 강당으로 가고 서희네 반이 먹는 차례가 오길 기다렸다. 배식을 받았는데 맛있어서 서희는 다시 행복해졌다. 결국 서희는 3번이나 밥을 먹고 또 먹었다. 먹고 시간이 없어서 서희는 바로 버스에 탔다. 근데 배가 불러서 서희는 식곤증이 너무 많이 몰려왔다. 결국 서희는 또다시 잠이 들었다. 곧 도착이라는 말을 듣고 서희는 잠에서 깼는데 애들이 깔깔깔 웃었다. 서희가 물어보았다.

"왜?"

반 애들은 웃으며 대답했다.

"너 코 골고 잤다!ㅋㅋ"

서희는 너무 창피해서 쥐구멍에 숨고 싶은 마음이 들었다. 깔깔 웃는 사이 목적지로 도착했다.

오사카성으로 왔는데 너무 예뻐서 빨리 사진을 찍고 싶었다. 선생님의 주의 사항을 듣고 서희, 여름, 소연, 지희, 봄은 서로 사진을 거의 100장 가까이 찍어 주었다. 그런데 선생님이 갑자기 미션을 주셨다.

"야 쌤이 미션 주셨는데? 아 진짜 싫다."

"무슨 미션?"

"친구들이랑 제일 멋있는 포즈로 찍어오면 새벽 3시까지 자유롭게 놀게 해주겠대."

"아니 진짜 뭔"

툴툴거려도 미션을 하고 숙소로 갔다.

숙소에 도착하니 저녁이었다. 방에서 가방을 놓고 바로 저녁을 먹으러 내려갔다. 서희, 여름, 소연, 지희, 봄이는 너무 배고팠다.

너무 배가 고파서 밥을 거의 30분 동안 먹었다, 먹고 바로 편의점에 가서 음료수, 과자, 물을 엄청 많이 샀다. 그리고 계산하려는데 줄이 너무너무 길었다. 서희가 말했다

"야 줄이 너무 긴데?"

서희, 여름, 소연, 지희, 봄은 그냥 갈까 곰곰이 생각했는데 나중에 배고플 것 같아서 그냥 줄을 섰다. 10분 정도 기다리니 서희네 차례가 왔다. 계산을 하고 방으로 올라가는데 물이랑 과자가 너무 많아서 팔이 빠질 만큼 아팠다. 방으로 도착하자마자 서희는 씻고 여름, 소연, 지희, 봄이는 음식을 정리했다. 마침내 서희가 다 씻어서 그다음 차례인 여름이가 씻으려고 들어가려던 순간 밖에서 이상한 소리가 났다.

"끼야아아아악!!!!!"

서희가 말했다.

"이거 무슨 소리야?"

친구들은 무슨 소리인지 궁금했지만, 한편으론 겁이 났다. 그런데 그 뒤로도 계속 이상한 소리가 났다.

"쿠와아아아앙!!"

"끼야아아아아악"

밖 상황이 너무 궁금했지만, 혹시나 무슨 일이 생길까 봐 나가진 않았다. 그런데 밖에서 구급차와 경찰차 소리가 났다. 그리고 잠시 후 교관 쌤 목소리가 들렸다.

"모두 강당으로 모여랏!!"

목소리를 듣고 긴장이 풀린 친구들은 바로 밖으로 나갔다. 그런데

복도에 피가 묻어 있었다.

"아휴휴휴휴 놀래라... 괜찮아??"

"힝 으엑!! 피 뭐야!!!"

그때 교관 쌤이 말했다.

"벽 보지 말고 천천히 내려와!"

서희는 놀랐지만 빨리 강당으로 내려갔다. 내려갔더니 교관 선생님들이 심각한 표정을 짓고 계속 어딘가로 전화를 걸고 있었다. 서희, 여름, 소연, 지희, 봄은 3반을 찾아서 자리에 앉았다. 그런데 갑자기 교관쌤이 말했다.

"지금 좀비 바이러스 감염자가 심하게 늘어나고 이 숙소에서도 나왔기 때문에 지금 즉시 다른 숙소로 이동할 거니까 1반부터 차례로 버스로 지금 타랏!!"

갑작스럽게 숙소를 다른 곳으로 간다는 말에 당황했다. 그래도 아까 비명 소리와 피가 묻어 있는 게 너무 무서웠기 때문에 숙소를 다른 곳으로 옮겼다. 버스로 다른 숙소를 가는데 몇몇 사람들이 다른 사람들을 무섭게 공격하고 있었다. 애들도 다 창밖으로 그걸 보고 있었다.

그때 핸드폰에서 띠디디디 소리가 들렸다. 감염 초기증상을 알려주는 메시지였다.

"흐음 얼굴이 파래지고.. 열나고.."

그때 여름이가 갑자기 소리를 질렀다.

"꺄악!"

"왜 그래!"

"애 얼굴이 이상해요!"

여름이 옆은 가을이었다. 가을이는 마스크를 쓰지 않아서 감염 초기 증상이 나타나고 있었다. 여름이 말했다.

"이거 바이러스 초기 증상 아니야? 얼굴 파래지고 열나고 눈 자꾸 풀리잖아!"

그때 반장이 소리쳤다.

"야! 함부로 의심하지 마. 아닐 수도 있잖아!"

여름이 말했다.

"아니 증상이 똑같잖아!"

무서운 목소리로 교관 쌤이 소리쳤다.

"조용! 지금 왜 싸우냐! 숙소까지 얼마 안 남았으니까 좀 참아!"

가을은 선생님 옆자리로 앉고 다시 숙소로 출발했다. 선생님은 가을이한테 약을 줬는데 그때

"크앙!!"

가을이가 갑자기 소리 지르며 물려고 했다.

"꺄악!"

그때 선생님이 창문을 열더니 가을이를 던져버렸다.

"읏챠!"

그 모습을 본 아이들은 놀라움을 감추지 못했다.

"뭐해요!!"

"괜찮아! 어차피 좀비야! 조용히 하고 그냥 자!"

아이들은 놀랐지만 진정하고 조금 기다리니 바로 숙소로 도착했다. 새로운 방으로 가고 바로 애들은 이불 펴고 잠을 잤다. 잠을 자면

서도 숙소 밖에서 비명 소리가 들리긴 했지만 경찰이 와서 해결하니 그냥 잠을 잤다. 다음 날 아침 뉴스를 보니 사람들의 폭력은 더 심해져 있었다. 친구들은 어제보다 더 겁에 질려있었다.

서희도 너무 무서워서 얼굴이 창백해졌다. 결국 오늘 바로 한국으로 돌아가 대피소로 갈 것이다. 버스를 타고 공항에 도착했는데 반 애들은 놀라움을 감추지 못했다. 서희도 두 눈 뜨고 볼 수 없었다. 공항에는 사람들이 서로를 공격하고 물어뜯고 얼굴이 피범벅인 채 경찰 군인과 싸우고 있었다. 순간 반 애들은 한국으로 돌아가기는 불가능하다고 느꼈다.

그런데 버스 티비에서 수학여행을 온 학교 전체가 일본 대피소에 있다는 뉴스가 나왔다. 결국 우리 반도 결국 일본 대피소로 갔다.

대피소로 가니 다른 반 애들도 만날 수 있었다. 그 대피소엔 경찰과 군인이 있어서 그래도 안전하다고 느꼈다. 점심은 컵라면으로 먹고 긴장이 풀린 탓에 잠이 왔다. 서희는 잠시 자고 다른 애들은 게임을 하고 서로 tmi를 얘기했다. 서희가 잠에서 깼을 땐 어떤 할머니가 나가겠다고 난동을 부리고 있었다. 그런데 그 할머니가 점점 의자를 집어 던지고 벽을 마구 때리고 괴상한 소리를 냈다. 그래서 군인이 할머니가 좀비 바이러스 증상이라고 말한 뒤 할머니를 밖으로 쫓아냈다. 사람들은 웅성웅성 거렸다.

"아우 뭐야.."

"어우 또 누구 감염된 거 아니야?"

바로 자기 할 것을 했다. 그리고 며칠 뒤 밤에 밖에서 이상한 소리가 들렸다.

"저기요!!"

아주 조그맣게 들렸다.

"살려주세요! 제발 살려주세요!"

사람들은 열어 주자와 열지 말라는 쪽으로 갈렸다. 그런데 그때 그 사람이 문을 부수고 들어왔다. 후줄근한 복장인 아줌마였다. 사람들은 나가라고 소리쳤지만 몇몇 사람들은 그 아줌마한테 따뜻한 물과 음식을 건넸다. 그 아줌마는 자신한테 물과 음식을 준 사람들한테 말했다.

"고마워요. 날 받아 주는 곳은 여기가 처음이네욕크와ㅏㅏ앙!"

사람들은 놀라서 점점 뒤로 물러갔다. 사람들은 또 소리쳤다.

"그니까 내가 열어 주지 말라고 했잖아!!"

"왜 열어줘서 위험하게 만들어!"

"키야 저 좀비 아닐엡엳"

그때

"따당당당당! 따당당!"

총소리가 울려 퍼졌다.

"끼야..."

"캬... 꾸엥..."

군인이 총을 쏘고 난 뒤 아줌마가 죽었다. 서희는 문득 이런 생각이 들었다.

'이렇게 죽은 사람이 얼마나 많을까.'

사람들은 이제 익숙한지 별 반응이 없었다. 그건 서희와 친구들도 마찬가지였다. 그때 티비에서 뉴스가 나왔다.

“좀비 바이러스 때문에 한국에서 온 사람들도 다시 돌아갈 수 없게 되었습니다. 공항이 안전해지면 즉시 돌아가시길 바랍니다.”

반 아이들은 조용히 울었다. 서희도 눈물이 났다. 혹시나 영원히 돌아가지 못하게 될까 마음이 불안했다.

그렇게 두 달 동안 반 애들과 다른 반 애들은 대피소에서 지냈다. 가끔 따뜻한 물이 나오지 않고 먹을 게 부족한 것들이 너무 불편했다. 인터넷도 끊겨서 뉴스도 볼 수 없게 되었다. 서희는 너무 심심해서 계속 멍때리고 있는데 그때 갑자기 어떤 군인이 일본 말로 소리쳤다.

“총리가 이제 돌아갈 수 있답니다.”

반 친구들은 일본 말을 알아듣지 못해서 어버버한 표정만 짓고 있었다. 그런데 그때 또 어떤 아저씨가 말했다.

“여러분! 이제 돌아갈 수 있대요! 한국으로 갈 수 있다고요!!!”

서희와 친구들 너무너무 기뻤다. 다른 반 애들은 서로를 껴안고 울기도 했다. 선생님은 미소를 짓고 챙길 거 다 챙기라고 말씀하셨다. 그 말이 끝나기 무섭게 당장 짐을 챙기고 밖으로 뛰쳐나갔다. 반 차례대로 버스에 탔다. 공항으로 도착하니 처음과는 달리 편안하고 안정감 있었다. 그 모습을 보고 서희와 친구들은 더 들뜬 마음으로 공항 안으로 들어갔다.

서희와 반 친구들이 다 화장실로 가서 여름이 혼자 남게 되어서 의자에 앉아 있었는데 여름이 뒤에서 이상한 소리가 들렸다.

“꾹..꾹...꾹..”

여름이 말했다.

"이게 무슨 소리지 ?"

"크... 캬.. 우엑겍..살령줗셍욯..."

여름이는 너무 무서워졌다. 여름은 무서운 마음을 뒤로 하고 천천히 고개를 돌려서 뒤를 확인했는데 좀비에 여러 번 물린 경찰이 바닥을 기어다니면서 여름이한테 점점 다가오고 있었다. 여름이가 소리를 질렀다.

"살려줘엌!"

"캬캬캬캬캬!!"

"꺙!"

여름이가 소리를 지르면서 좀비가 여름을 향해 달려와서 여름이 결국 물렸다. 화장실에 있던 친구들은 바로 밖으로 나가보았다.

"꺄악 여름아악!ㅠ 어떡해ㅠ"

점점 좀비로 변해가는 여름이가 울면서 말했다.

"흐그그극..ㅠㅠㅠㅠ 왜 나에게 그래ㅠㅠㅠ 나 좀 살려줘ㅠ"

친구들과 선생님은 좀비로 변해 가는 여름이를 보고도 아무것도 해줄 수 없었다. 치료제도 백신도 없기 때문이다.

"클크흫.. 나좀.. 키야옭!!"

좀비로 완전히 변해 버린 여름이가 친구들과 선생님을 향해 달려들었다. 하지만 선생님은 너무 무서운 마음에 아이들을 두고 어딘가로 도망쳐 버렸다.

"어?! 선생님 어디가세요옹 꺄카ㅏ악"

서희네 반 친구들, 다른 반 친구들, 다른 사람들도 여름이와 여름이한테 물린 사람들에게 물려 버렸다. 몇 명은 밖으로 나가버려서 살았는지 죽었는지 모르겠다. 이제야 집으로 갈 수 있었는데 겨우 가족들을 볼 수 있었고 다시 행복하게 살 수 있었는데 다시 원점으로 돌아가 버렸다. 서희는 슬프고 답답한 마음에 눈물이 또르륵 흘렀다.

"뿌에에엥엥엥ㅠ!"

숨어서 조용히 울고 있다가 생존자들과 무사히 한국으로 돌아가는 방법밖에 없었다. 서희는 화장실에 숨어 있었는데 그때 봄이가 화장실로 들어왔다. 옷엔 혈흔이 묻어 있고 머리는 대역 죄인처럼 풀려 있고 얼굴엔 먼지가 가득했다. 봄이와 서희는 심장이 터질 듯 무서운 마음에 서로를 보자마자 눈물을 흘렸다. 서희가 물어보았다.

"소연이랑 지희는 어딨어?"

봄이가 떨리는 목소리로 말했다.

"걔네... 다른 사람들 도와주다가..힝ㅠ"

친구가 죽었다는 얘기를 듣고 서희는 바로 문밖으로 나가려 했다. 그런데 봄이가 손목을 잡으면서 말했다.

"너 뭐 하는 거야? 밖에 좀비투성인 거 몰라? 너도 물리고 싶어서 작정했어?"

서희가 화난 목소리로 대답했다.

"소연이랑 지희 찾아야지! 친구잖아!"

"지금 다 물려서 다 좀비라고!"

"쿠당탕탕!!"

서희랑 봄이가 큰 소리로 얘기하는 바람에 좀비들이 화장실로 찾아왔다. 서희가 말했다.

"아..!! 이제 어떡하지?"

"일단 막아!!!"

서희와 봄이는 화장실 문을 온 힘을 다해서 좀비가 화장실로 들어오려는 것을 막았다.

"아으!!!! 힘들어!!"

"좀 참아!!!!"

그때 밖에서 총소리가 들렸다.

"탕탕탕탕!!!!"

서희와 봄이가 말했다.

"이거 총소리 아니야?"

"모르겠어. 좀비들 다 죽은 거 보니 총 맞는 것 같은데?"

"나가볼까?"

"어? 누구 온다."

"똑똑"

서희와 봄이는 물었다.

"누구세요?"

"군인 아저씨야. 문 좀 열어줘!!"

문을 두드린 사람은 군인 아저씨들이었다. 서희와 봄이는 바로 문을 열었다. 문을 열어 보니 정말 군인 아저씨들이 총을 들고 서 있었다.

"얘들아 아저씨들이 너네 데리러 왔어. 이제 안전해."

안전하다는 얘기를 듣자마자 긴장한 몸이 풀리면서 울음이 나왔다.

"끼엥엥엥!ㅠㅠㅠㅠ"

군인 아저씨들은 서희와 봄이를 꼬옥 안아주었다. 그리고 군인 아저씨 차를 타고 다시 대피소로 갔다. 대피소로 도착하니 정말 가정집 같이 따듯하고 안정적인 방이 보였다. 군인 아저씨들이 자리를 알려주어서 그 자리에서 생활하게 되었다. 그 대피소엔 따뜻한 물과 음식도 충분했다. 그렇게 점점 인터넷이 잘되고 좀비의 수도 점점 줄어들었다. 그렇게 2년 6개월 뒤 좀비를 총과 폭탄으로 다 죽여서 한국으로 돌아갈 수 있게 되었다. 그리곤 수능도 치고 대학교 생활도 하고 남자친구도 생겼다. 지내면서 가끔씩 그날이 떠올라 힘들어서 약도 먹고 심리 치료 센터도 다녔다. 그 덕분에 다시 평범한 삶을 살고 봄이와도 가끔 만나면서 다시 행복한 인생을 살고 있다.